Mathematics

교과서
노트

중학 수학 **3**(하)

구성과 특징

교과서 노트는 어떤 교과서에나 공통적으로 나오는 문제들로 구성하였습니다. 각 단원마다 알아야 할 기본 개념과 출제 가능성이 매우 높은 문제들을 엄선하였기 때문에 중간·기말고사를 대비하는 데 좋은 교재입니다.

우리가 수학문제를 풀 때 가장 많이 느끼는 어려움은 분명히 풀어봤던 유형인 것 같은데 풀이 과정 중에 하나 또는 두 개 정도의 풀이과정이 추가되게 되면 풀 수가 없다는 것일 것입니다. 노트 형식으로 구성한 이 "교과서 노트"는 기본 필수 예제를 풀이 과정을 하나하나 쫓아가며 풀 수 있기 때문에 수학 문제 풀이에 대한 두려움이라든가, 오답노트를 따로 만들어가며 풀어야 하는 귀찮음을 해소할 수 있습니다.

1

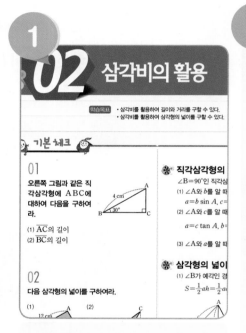

학습목표

소단원의 성격을 잘 드러내도록 구성하였습니다.

학습목표는 우리가 시험에서 만날 문제들의 성격을 대표적으로 설명하는 부분입니다. 학습목표를 잘 읽어보면 그 단원에서 가장 기본이 되고 제일 중요한 것이 무엇인지 알 수 있게 됩니다.

2

기본체크와 핵심정리

교과서 개념을 주제별로 구성하여 자세하고 깔끔한 개념만을 모아모아 문제 풀이에 적용하기 쉽게 정리하였습니다. 교과서 노트의 핵심정리는 정말 중요한 것만 콕콕 찍어서 단계적으로 정리하여 보기도 쉽고, 이해하기도 좋게 구성하였습니다.

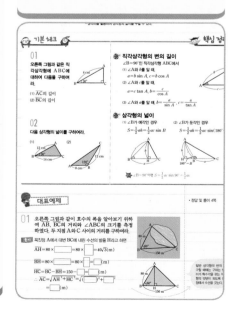

3

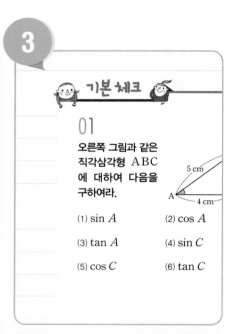

대표 예제

단순히 개념만 안다고 모든 문제를 해결할 수는 없습니다. 핵심은 바로 개념을 이용한 문제해결력을 키워야 합니다. 그래서 중학 교과서 속 핵심 예제를 개념을 익히기 위한 필수 문제로 구성하였습니다. 시험과 동떨어진 매우 기초가 되는 쉬운 문제가 아니고, 시험에 나올 법한 유형의 문제 중 기본이 되는 문제로 구성했으며 빈칸 채우기 식의 문제 풀이를 통해 풀이 과정을 한 눈에 볼 수도 있어서 "내가 어디서 실수를 했는지" 쉽게 찾을 수 있습니다. 또한, 문제 풀이에 꼭 필요한 개념들을 친절하게 첨삭 설명하였습니다.

4 어떤 교과서에나 나오는 문제

코너 이름 그대로, "어느 교과서에나 등장하는" 유형의 문제들로 구성하였습니다. 교과서 기본문제와 연습문제를 분석하여 만든 이 문제들로 기초 실력을 탄탄히 다지고 연습할 수 있으며, 시험에 꼭 나오는 유형이니만큼 시험 대비하기에 좋습니다. 노트 형식의 디자인은 문제 옆에 바로 풀이를 할 수 있어서 풀이 가운데 틀린 부분을 체크하기 쉽게 하며, 오답노트로 활용할 수도 있습니다.

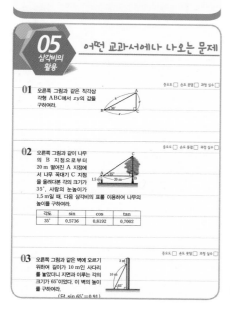

5 시험에 꼭 나오는 문제

교과서의 중단원평가와 대단원평가를 분석하여 공통적으로 등장하는 유형의 문제를 변형하여 실어놓았습니다. 시험에 꼭 나오고, 반드시 알아두어야 할 문제들로 엄선했기 때문에 이 교재로 모의시험을 치르면, 시험에 임하게 되었을 때 나의 취약한 부분을 미리 알 수 있게 됩니다. 이 코너 역시 노트 디자인으로, 문제풀이 복습 과정이 편리합니다.

6 단원종합문제

대단원이 하나씩 끝날 때마다 제공되는 단원종합문제는 실제 시험을 보는 것 같이 풀 수 있도록 구성하였습니다. 출제 가능성이 매우 높은 문제들로 구성하여 중간고사나 기말고사 대비용으로 활용하기 좋으며, 어느 정도 난이도가 높은 문제들과 서술형 문제도 다루어 보면서 완벽하게 실전에 대비합니다.

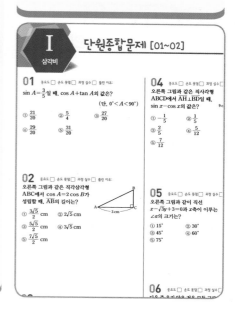

7 책속의 책 : 정답 및 풀이

• 친절하고 깔끔한 풀이가 내가 틀린 문제에 대한 문제 풀이의 이해를 돕습니다.
• 맞은 문제도 풀이 책을 보면서 문제풀이 과정이 옳았는지 확인해 볼 수 있습니다.
• 다른 풀이를 통해 여러 가지 풀이 방법을 제시하였습니다.

III. 통계

정답 및 풀이

이 책의
활용법

1 학습목표를 여러 번 읽어 보며 개념이 어떻게 문제로 표현될지 생각해 본다.

2 핵심 정리를 보며 내가 올바르게 소단원의 개념을 이해하고 있는지 확인한다.

3 체크 문제를 풀어보고 각 소단원에 해당하는 기본 개념이 제대로 잡혀 있는지 확인한다.

4 대표 예제를 통해 기본 문제를 이해한다.

5 〈어떤 교과서에나 나오는 문제〉 코너와 〈시험에 꼭 나오는 문제〉 코너의 문제를 풀이한 뒤,
풀이 과정까지 옳게 되었는지 확인한다. ▶ 틀린 유형의 문제는 여러 번 풀어본다.

6 단원종합문제 풀이를 실제 시험처럼 시간을 정해 두고 푼다. ▶ 출제 가능성 높은 문제들로 구성하였기 때문에
틀린 문제는 반드시 다시 풀어서 실제 시험에서는 틀리지 않도록 오답노트를 만든다.

01 삼각비

학습목표 • 삼각비의 뜻을 이해하고, 특수한 각의 삼각비의 값을 구할 수 있다.
• 예각에 대한 삼각비의 값을 삼각비의 표를 사용하여 구할 수 있다.

기본 체크

01

오른쪽 그림과 같은 직각삼각형 ABC에 대하여 다음을 구하여라.

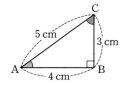

(1) $\sin A$　　　(2) $\cos A$

(3) $\tan A$　　　(4) $\sin C$

(5) $\cos C$　　　(6) $\tan C$

02

다음을 계산하여라.

(1) $\cos 60° + \sin 45°$

(2) $\sin 30° \times \tan 60°$

(3) $\sin 0° \times \cos 0° - \sin 30° + \cos 60°$

핵심 정리

✿ 삼각비의 뜻

(1) 삼각비: 직각삼각형에서 두 변의 길이의 비

(2) $\angle C = 90°$인 직각삼각형 ABC에서 $\angle A$의 삼각비

① $\sin A = \dfrac{(\angle A의\ 대변의\ 길이)}{(빗변의\ 길이)} = \dfrac{a}{c}$

② $\cos A = \dfrac{(빗변이\ 아닌\ \angle A의\ 이웃변\ 길이)}{(빗변의\ 길이)} = \dfrac{b}{c}$

③ $\tan A = \dfrac{(\angle A의\ 대변의\ 길이)}{(빗변이\ 아닌\ \angle A의\ 이웃변\ 길이)} = \dfrac{a}{b}$

참고 $\sin^2 A = (\sin A)^2 \neq \sin A^2$, $\cos^2 A = (\cos A)^2 \neq \cos A^2$, $\tan^2 A = (\tan A)^2 \neq \tan A^2$

✿ 특수한 각의 삼각비의 값

삼각비＼A	0°	30°	45°	60°	90°
$\sin A$	0	$\dfrac{1}{2}$	$\dfrac{\sqrt{2}}{2}$	$\dfrac{\sqrt{3}}{2}$	1
$\cos A$	1	$\dfrac{\sqrt{3}}{2}$	$\dfrac{\sqrt{2}}{2}$	$\dfrac{1}{2}$	0
$\tan A$	0	$\dfrac{\sqrt{3}}{3}$	1	$\sqrt{3}$	정할 수 없다.

참고 30°, 45°, 60°의 삼각비의 값은 피타고라스 정리를 이용하여 구할 수 있다.

대표예제

• 정답 및 풀이 2쪽

01 오른쪽 그림과 같은 직각삼각형 ABC에서 $\angle A$와 $\angle B$의 삼각비를 각각 구하여라.

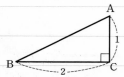

풀이 피타고라스 정리에 의하여 $\overline{AB}=\sqrt{2^2+1^2}=\boxed{}$

따라서 $\angle A$와 $\angle B$의 삼각비는 다음과 같다.

$\sin A=\dfrac{\boxed{}}{\boxed{}}=\boxed{}$, $\cos A=\dfrac{\boxed{}}{\boxed{}}=\boxed{}$, $\tan A=\dfrac{\boxed{}}{\boxed{}}$

$\sin B=\dfrac{\boxed{}}{\boxed{}}=\boxed{}$, $\cos B=\dfrac{\boxed{}}{\boxed{}}=\boxed{}$, $\tan B=\boxed{}$

> 각의 크기가 정해지면 직각삼각형의 크기에 관계없이 그 각에 대한 삼각비의 값은 일정하다.

02 오른쪽 그림과 같은 직각삼각형 ABC에서 $\overline{DE}\perp\overline{AB}$ 일 때, $\sin x$의 값을 구하여라.

풀이 △ABC에서 피타고라스 정리에 의하여

$\overline{BC}=\sqrt{8^2-7^2}=\boxed{}$

△ABC∽△DBE (AA 닮음)이므로 $\boxed{}=\angle x$

$\therefore \sin x=\sin\boxed{}=\dfrac{\boxed{}}{\boxed{}}=\boxed{}$

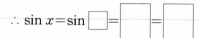

> 닮은 직각삼각형에서 대응각에 대한 삼각비의 값은 같다.

03 $\sin 90°\times\cos 60°+\dfrac{\sin 30°}{\cos 0°}-\sqrt{2}\tan 45°$의 값을 계산하여라.

풀이 (준식)$=1\times\boxed{}+\boxed{}\div 1-\sqrt{2}\times\boxed{}=\boxed{}$

> 특수한 각의 삼각비의 값을 꼭 외워 둔다.

04 오른쪽 그림과 같이 $\angle C=90°$인 직각삼각형 ABC에서 $\overline{AB}=4$ cm, $\angle ABC=30°$일 때, $\overline{AC}$, $\overline{BC}$의 길이를 각각 구하여라.

풀이 $\sin 30°=\dfrac{\overline{AC}}{\overline{AB}}$이므로 $\boxed{}=\dfrac{\overline{AC}}{4}$ $\quad\therefore \overline{AC}=\boxed{}$ (cm)

$\cos 30°=\dfrac{\overline{BC}}{\overline{AB}}$이므로 $\boxed{}=\dfrac{\overline{BC}}{4}$ $\quad\therefore \overline{BC}=\boxed{}$ (cm)

> 특수한 각의 삼각비의 값과 삼각비의 정의를 이용한다.

임의의 예각에 대한 삼각비의 값

반지름의 길이가 1인 사분원에서 임의의 예각에 대하여

① $\sin x=\dfrac{\overline{AB}}{\overline{OA}}=\dfrac{\overline{AB}}{1}=\overline{AB}$

② $\cos x=\dfrac{\overline{OB}}{\overline{OA}}=\dfrac{\overline{OB}}{1}=\overline{OB}$

③ $\tan x=\dfrac{\overline{CD}}{\overline{OD}}=\dfrac{\overline{CD}}{1}=\overline{CD}$

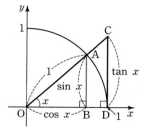

참고 x가 $0°$에서 $90°$로 증가할 때 $\sin x$는 0에서 1로 증가, $\cos x$는 1에서 0으로 감소, $\tan x$는 0에서 무한히 증가한다.
한편, $0°\leq x<45°$일 때 $\sin x<\cos x$이고, $45°<x\leq 90°$일 때 $\sin x>\cos x$이다.

중요도 ☐   손도 못댐 ☐   과정 실수 ☐   틀린 이유:

01 오른쪽 그림과 같은 직각삼각형 ABC에 대하여 다음 중 옳은 것은?

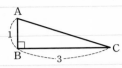

① $\sin A = \dfrac{\sqrt{10}}{10}$

② $\cos A = \dfrac{3\sqrt{10}}{10}$

③ $\tan A = 3$

④ $\sin C = \dfrac{3\sqrt{10}}{10}$

⑤ $\cos C = \dfrac{\sqrt{10}}{10}$

중요도 ☐   손도 못댐 ☐   과정 실수 ☐   틀린 이유:

02 오른쪽 그림과 같은 직각삼각형 ABC에서 $\cos A + \tan B$의 값은?

① $\dfrac{\sqrt{5}}{5}$

② $\dfrac{2\sqrt{5}}{5}$

③ $\dfrac{5\sqrt{5}}{6}$

④ $\sqrt{5}$

⑤ $\dfrac{4\sqrt{5}}{3}$

중요도 ☐   손도 못댐 ☐   과정 실수 ☐   틀린 이유:

03 오른쪽 그림과 같이 한 모서리의 길이가 a인 정육면체에서 $\angle CEG = x$라 할 때, $\cos x$의 값은?

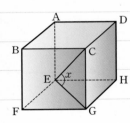

① $\dfrac{\sqrt{2}}{3}$

② $\dfrac{\sqrt{3}}{3}$

③ $\dfrac{2}{3}$

④ $\dfrac{\sqrt{5}}{3}$

⑤ $\dfrac{\sqrt{6}}{3}$

중요도 ☐   손도 못댐 ☐   과정 실수 ☐   틀린 이유:

04 오른쪽 그림과 같은 직각삼각형 ABC에서 $\sin A = \dfrac{3}{7}$일 때, $\triangle ABC$의 넓이를 구하여라.

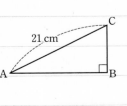

05 다음 중 옳지 <u>않은</u> 것은?

중요도 ☐ 손도 못댐 ☐ 과정 실수 ☐ 틀린 이유:

① $\tan 0° - \sin 90° = -1$

② $\tan 45° \times \sin 0° + \sin 60° \div \cos 30° = 0$

③ $\cos 90° - \tan 30° \times \tan 60° = -1$

④ $\sin 90° \times \cos 30° + \cos 0° \times \sin 60° = \sqrt{3}$

⑤ $2 \sin 30° \times \cos 60° - \sin 45° \times \cos 45° = 0$

06 오른쪽 그림에서
$\angle ABC = \angle BCD = 90°$일 때,
$\overline{BD}$의 길이를 구하여라.

중요도 ☐ 손도 못댐 ☐ 과정 실수 ☐ 틀린 이유:

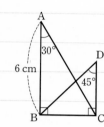

07 오른쪽 그림과 같이 반지름의
길이가 1인 사분원에서 다음
중 옳지 <u>않은</u> 것은?

중요도 ☐ 손도 못댐 ☐ 과정 실수 ☐ 틀린 이유:

① $\sin x = \overline{BC}$

② $\tan x = \overline{DE}$

③ $\sin y = \overline{AB}$

④ $\cos y = \overline{BC}$

⑤ $\tan y = \overline{DE}$

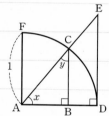

08 다음 삼각비의 표를 이용하
여 오른쪽 그림과 같은 직각
삼각형 ABC에서 $\angle A$의
크기를 구하여라.

중요도 ☐ 손도 못댐 ☐ 과정 실수 ☐ 틀린 이유:

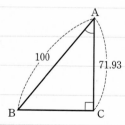

각도	sin	cos	tan
43°	0.6820	0.7314	0.9325
44°	0.6947	0.7193	0.9657
45°	0.7071	0.7071	1.0000
46°	0.7193	0.6947	1.0355
47°	0.7314	0.6820	1.0724

시험에 꼭 나오는 문제

01 오른쪽 그림과 같은 직각삼각형 ABC에서 $\sin A = \dfrac{3}{4}$일 때, $\cos A$의 값은?

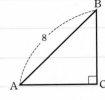

① $\dfrac{\sqrt{6}}{4}$　　② $\dfrac{\sqrt{7}}{4}$

③ $\dfrac{\sqrt{2}}{2}$　　④ $\dfrac{3}{4}$

⑤ $\dfrac{\sqrt{10}}{4}$

02 오른쪽 그림과 같이 $\angle BAC = 90°$인 직각삼각형 ABC에서 $\sin x + \cos y$의 값은?

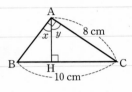

① $\dfrac{2}{5}$　　② $\dfrac{3}{5}$　　③ $\dfrac{4}{5}$

④ 1　　⑤ $\dfrac{6}{5}$

03 $\cos A = \dfrac{5}{7}$일 때, $35 \sin A \times \tan A$의 값은?

(단, $0° < A < 90°$)

① 16　　② 20　　③ 24
④ 28　　⑤ 32

04 오른쪽 그림과 같은 정사면체에서 $\overline{BC}$의 중점을 E, $\angle AED = x$라 할 때, $\cos x$의 값을 구하여라.

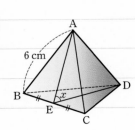

05 오른쪽 그림과 같은 직각삼각형 ACB에서 $\overline{BC} \perp \overline{FE}$일 때, $\sin x$의 값은?

중요도 ☐ 손도 못댐 ☐ 과정 실수 ☐ 틀린 이유:

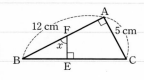

① $\dfrac{5}{13}$ ② $\dfrac{5}{12}$ ③ $\dfrac{12}{13}$

④ $\dfrac{12}{5}$ ⑤ $\dfrac{13}{5}$

06 삼각형의 세 내각의 크기의 비가 $1 : 2 : 3$이고 내각 중 가장 작은 각의 크기를 A라 할 때, $\sin A \times \cos A \times \tan A$의 값을 구하여라.

중요도 ☐ 손도 못댐 ☐ 과정 실수 ☐ 틀린 이유:

07 $\sin(2x - 10°) = \dfrac{1}{2}$을 만족시키는 x의 값은?

중요도 ☐ 손도 못댐 ☐ 과정 실수 ☐ 틀린 이유:

(단, $5° < x < 50°$)

① $10°$ ② $15°$ ③ $20°$

④ $25°$ ⑤ $30°$

08 보기에서 옳은 것을 <u>모두</u> 고른 것은?

중요도 ☐ 손도 못댐 ☐ 과정 실수 ☐ 틀린 이유:

> **보기**
>
> ㄱ. $\sin^2 30° + \cos^2 60° = 1$
> ㄴ. $\sin 30° = \cos 30° \times \tan 30°$
> ㄷ. $\sin 30° + \sin 60° = \sin 90°$
> ㄹ. $\tan 30° = \dfrac{1}{\tan 60°}$

① ㄱ, ㄴ   ② ㄱ, ㄷ   ③ ㄴ, ㄷ
④ ㄴ, ㄹ   ⑤ ㄱ, ㄷ, ㄹ

중요도 ☐ 손도 못댐 ☐ 과정 실수 ☐ 틀린 이유:

09 이차방정식 $x^2 - x + \dfrac{1}{4} = 0$의 해가 $\sin A$의 값과

같을 때, $2\tan A \times \cos A$의 값을 구하여라.

$$(단,\ 0° < A < 90°)$$

중요도 ☐ 손도 못댐 ☐ 과정 실수 ☐ 틀린 이유:

10 오른쪽 그림과 같이 직선
$4x - 5y + 20 = 0$과 x축, y
축의 교점을 각각 A, B라고
할 때, $\tan A$의 값은?

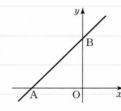

① $\dfrac{1}{2}$ ② $\dfrac{4}{5}$

③ 1 ④ $\sqrt{2}$

⑤ $\sqrt{3}$

중요도 ☐ 손도 못댐 ☐ 과정 실수 ☐ 틀린 이유:

11 오른쪽 그림과 같은 직각삼
각형 ABC에서 $\overline{BD} = \overline{CD}$
일 때, $\overline{AD}$의 길이를 구하여
라.

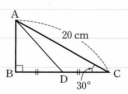

중요도 ☐ 손도 못댐 ☐ 과정 실수 ☐ 틀린 이유:

12 오른쪽 그림과 같이 반지름의
길이가 1인 사분원에서 점 A
의 좌표는?

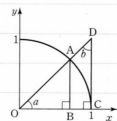

① $(\sin a,\ \sin b)$

② $(\sin b,\ \sin a)$

③ $(\sin a,\ \cos a)$

④ $(\cos b,\ \sin b)$

⑤ $(\cos a,\ \tan a)$

13 다음 중 옳지 <u>않은</u> 것은?

① $\sqrt{3}\tan 60° - 2\cos 45° = 3 - \sqrt{2}$
② $\tan 0° - 2\cos 30° \times \tan 30° + \sin 90° = 0$
③ $\sin^2 60° + \cos^2 60° - 2\sin 90° \times \cos 0° = -1$
④ $(\sin 90° + \cos 45°)(\cos 0° - \sin 45°) = 1$
⑤ $\sin 0° - \tan 30° \times \tan 60° + \cos 90° = -1$

14 $(\cos 0° \times \sin 90°) + (\tan 60° \times \cos 30°)$의 값은?

① 0　　　② $\dfrac{1}{2}$　　　③ 1

④ $1 + \dfrac{\sqrt{3}}{2}$　　⑤ $\dfrac{5}{2}$

15 오른쪽 그림과 같은 직각삼각형 ABC에서 $\overline{BD} = \overline{AD}$ 일 때, $\tan 22.5°$의 값은?

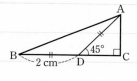

① $\sqrt{2} - 1$　　② 1　　　③ $\sqrt{2}$
④ $\sqrt{3}$　　　⑤ $\sqrt{2} + 1$

16 다음 삼각비의 표를 이용하여 오른쪽 그림과 같은 직각삼각형 ABC에서 $x + y$의 값을 구하여라.

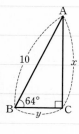

각도	sin	cos	tan
63°	0.8910	0.4540	1.9626
64°	0.8988	0.4384	2.0503
65°	0.9063	0.4226	2.1445
66°	0.9135	0.4067	2.2460

02 삼각비의 활용

기본 체크

01

오른쪽 그림과 같은 직각삼각형에 ABC에 대하여 다음을 구하여라.

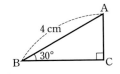

(1) $\overline{AC}$의 길이
(2) $\overline{BC}$의 길이

02

다음 삼각형의 넓이를 구하여라.

(1)
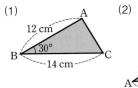

(2)
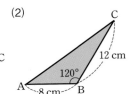

핵심 정리

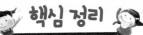

직각삼각형의 변의 길이

∠B=90°인 직각삼각형 ABC에서

(1) ∠A와 b를 알 때,
$$a=b \sin A,\ c=b \cos A$$

(2) ∠A와 c를 알 때,
$$a=c \tan A,\ b=\frac{c}{\cos A}$$

(3) ∠A와 a를 알 때, $b=\dfrac{a}{\sin A},\ c=\dfrac{a}{\tan A}$

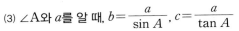

삼각형의 넓이

(1) ∠B가 예각인 경우
$$S=\frac{1}{2}ah=\frac{1}{2}ac \sin B$$

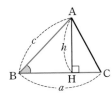

(2) ∠B가 둔각인 경우
$$S=\frac{1}{2}ah=\frac{1}{2}ac \sin(180°-B)$$

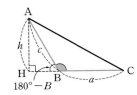

참고 ∠B=90°이면 $S=\dfrac{1}{2}ac \sin 90°=\dfrac{1}{2}ac$

대표예제

• 정답 및 풀이 4쪽

01

오른쪽 그림과 같이 호수의 폭을 알아보기 위하여 AB, BC의 거리와 ∠ABC의 크기를 측정하였다. 두 지점 A와 C 사이의 거리를 구하여라.

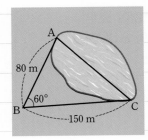

풀이 꼭짓점 A에서 대변 BC에 내린 수선의 발을 H라고 하면

$$\overline{AH}=80\times \boxed{}=80\times \boxed{}=40\sqrt{3}\,(m)$$

$$\overline{BH}=80\times \boxed{}=80\times \boxed{}=\boxed{}\,(m)$$

$$\overline{HC}=\overline{BC}-\overline{BH}=150-\boxed{}=\boxed{}\,(m)$$

$$\therefore \overline{AC}=\sqrt{\overline{AH}^2+\overline{HC}^2}=\sqrt{(\boxed{})^2+\boxed{}^2}$$

$$=\boxed{}\,(m)$$

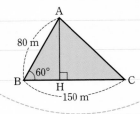

일반 삼각형의 변의 길이를 구할 때에는 구하는 변의 길이가 특수각을 갖는 직각삼각형의 빗변이 되도록 한 꼭짓점에서 수선을 긋는다.

02 오른쪽 그림과 같이 바다에서 8 km 떨어진 두 선박 A, B에서 등대를 바라본 각의 크기를 측정하였더니 ∠A=75°, ∠B=45°이었다. 선박 A에서 등대가 있는 C 지점까지의 거리를 구하여라.

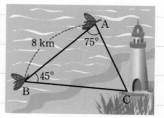

풀이 오른쪽 그림과 같이 꼭짓점 A에서 변 BC에 내린 수선의 발을 D라고 하면 직각삼각형 ABD에서

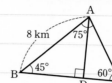

$$\overline{AD}=8\times\boxed{}=8\times\boxed{}=\boxed{}\,(km)$$

직각삼각형 ACD에서

$$\angle CAD=75°-\angle BAD=75°-(90°-45°)=\boxed{}$$

따라서 △ACD는 직각삼각형이고

$$\cos 30°=\dfrac{\overline{AD}}{\overline{AC}}=\boxed{}\text{이므로}$$

$$\overline{AC}=\overline{AD}\div\boxed{}=\overline{AD}\times\boxed{}=\boxed{}\times\boxed{}=\boxed{}\,(km)$$

> 삼각비는 직접 측정하기 어려운 길이나 높이를 구할 때 이용한다. 이때 삼각비는 직각삼각형에서만 적용되므로 일반 삼각형에서는 한 꼭짓점에서 그 대변에 수선을 그어 직각삼각형을 만들어 이용한다.

03 오른쪽 그림과 같은 □ABCD의 넓이를 구하여라.

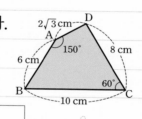

풀이 □ABCD에서 점 B와 D을 연결하고, □ABCD의 넓이를 S, △ABD의 넓이를 S_1, △BCD의 넓이를 S_2라고 하면

$$S=S_1+S_2$$

$$=\dfrac{1}{2}\times6\times2\sqrt{3}\times\boxed{}+\dfrac{1}{2}\times10\times8\times\boxed{}$$

$$=6\sqrt{3}\times\boxed{}+40\times\boxed{}$$

$$=\boxed{}+\boxed{}=\boxed{}\,(cm^2)$$

> 사각형을 삼각형 2개로 나누어 넓이를 구한다.

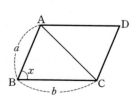

🐱 **사각형의 넓이**

(1) 평행사변형의 넓이

이웃하는 두 변의 길이가 a, b이고 그 끼인각의 크기가 x일 때, 평행사변형 ABCD의 넓이는

$$\square ABCD=2\triangle ABC=2\left(\dfrac{1}{2}ab\sin x\right)=ab\sin x$$

(2) 사각형의 넓이

두 대각선의 길이가 a, b이고 두 대각선이 이루는 각의 크기가 x일 때, 사각형 ABCD의 넓이는 오른쪽 그림과 같이 네 점 A, B, C, D를 지나고 대각선 AC, BD에 평행한 직선을 그어 이들이 만나는 점을 각각 E, F, G, H라 하면

$$\square ABCD=\dfrac{1}{2}\square EFGH=\dfrac{1}{2}ab\sin x$$

05 삼각비의 활용

어떤 교과서에나 나오는 문제

01 오른쪽 그림과 같은 직각삼 각형 ABC에서 xy의 값을 구하여라.

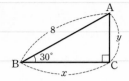

02 오른쪽 그림과 같이 나무 의 B 지점으로부터 20 m 떨어진 A 지점에 서 나무 꼭대기 C 지점 을 올려다본 각의 크기가 35°, 사람의 눈높이가 1.5 m일 때, 다음 삼각비의 표를 이용하여 나무의 높이를 구하여라.

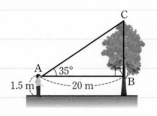

각도	sin	cos	tan
35°	0.5736	0.8192	0.7002

03 오른쪽 그림과 같은 벽에 오르기 위하여 길이가 10 m인 사다리 를 놓았더니 지면과 이루는 각의 크기가 65°이었다. 이 벽의 높이 를 구하여라.

(단, $\sin 65° = 0.91$)

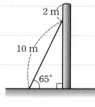

04 오른쪽 그림과 같은 삼각 형 ABC에서 $\overline{AC}$의 길이 는?

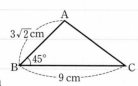

① $2\sqrt{10}$ cm ② $3\sqrt{5}$ cm
③ $4\sqrt{3}$ cm ④ $5\sqrt{2}$ cm
⑤ $2\sqrt{13}$ cm

중요도 ☐ 손도 못댐 ☐ 과정 실수 ☐ 틀린 이유:

05 오른쪽 그림과 같은 삼각형 ABC에서 $\tan A = \sqrt{3}$일 때, △ABC의 넓이는?

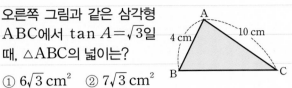

① $6\sqrt{3}\ cm^2$ ② $7\sqrt{3}\ cm^2$
③ $8\sqrt{3}\ cm^2$ ④ $9\sqrt{3}\ cm^2$
⑤ $10\sqrt{3}\ cm^2$

중요도 ☐ 손도 못댐 ☐ 과정 실수 ☐ 틀린 이유:

06 오른쪽 그림과 같은 삼각형 ABC에서 $\overline{AB}$의 길이와 △ABC의 넓이를 각각 구하면?

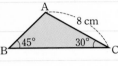

① $4\ cm,\ 16\sqrt{3}\ cm^2$
② $4\sqrt{2}\ cm,\ 16\sqrt{3}\ cm^2$
③ $4\sqrt{2}\ cm,\ (8+8\sqrt{3})\ cm^2$
④ $4\sqrt{3}\ cm,\ (8+8\sqrt{3})\ cm^2$
⑤ $4\sqrt{3}\ cm,\ 16\sqrt{3}\ cm^2$

중요도 ☐ 손도 못댐 ☐ 과정 실수 ☐ 틀린 이유:

07 오른쪽 그림과 같은 사각형 ABCD의 넓이를 구하여라.

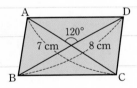

중요도 ☐ 손도 못댐 ☐ 과정 실수 ☐ 틀린 이유:

08 강의 양쪽에 있는 두 지점 A, C 사이의 거리를 재기 위하여 점 B를 오른쪽 그림과 같이 정하였다. 두 지점 A, C 사이의 거리를 구하여라.
(단, $\sin 68° = 0.93$, $\sin 70° = 0.94$로 계산하고 소수 둘째 자리에서 반올림하여 구한다.)

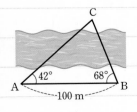

시험에 꼭 나오는 문제

01 오른쪽 그림과 같은 직각삼각형 ABC에서 $\overline{AC}$의 길이를 구하여라.

중요도 ☐ 손도 못댐☐ 과정 실수 ☐ 틀린 이유:

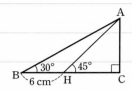

02 오른쪽 그림과 같이 실의 길이가 30 cm인 추가 운동하고 있다. 이 실이 연직선 $\overline{OA}$와 60°의 각도를 이루었을 때, 추는 점 A를 기준으로 몇 cm의 높이에 있는가?

중요도 ☐ 손도 못댐☐ 과정 실수 ☐ 틀린 이유:

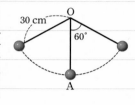

① 11 cm   ② 13 cm   ③ 15 cm
④ 17 cm   ⑤ 19 cm

03 오른쪽 그림과 같이 100 m 떨어진 두 지점 A, B에서 열기구 C를 올려다 본 각의 크기가 각각 60°, 45°일 때, 열기구의 높이를 구하여라.

중요도 ☐ 손도 못댐☐ 과정 실수 ☐ 틀린 이유:

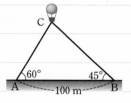

04 오른쪽 그림과 같은 두 직각삼각형 ABC와 DBC에서 선분 BD의 값을 구하면?

중요도 ☐ 손도 못댐☐ 과정 실수 ☐ 틀린 이유:

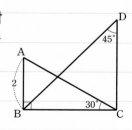

① $\dfrac{2}{3}$ ② $2\sqrt{6}$

③ $\dfrac{4\sqrt{3}}{3}$ ④ 4

⑤ $\dfrac{2\sqrt{3}}{3}$

05 연못의 양쪽에 있는 두 지점 A, B 사이의 거리를 구하기 위하여 오른쪽 그림과 같이 한 지점 C를 정하여 측량하였을 때, A와 B 사이의 거리를 구하여라.

(단, sin 53°=0.8, cos 53°=0.6, tan 53°=1.3)

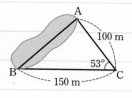

중요도 ☐ 손도 못댐 ☐ 과정 실수 ☐ 틀린 이유:

06 오른쪽 그림과 같은 평행사변형 ABCD에서 $\overline{AC}$의 길이는?

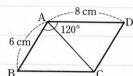

① $4\sqrt{3}$ cm ② $2\sqrt{13}$ cm
③ $2\sqrt{14}$ cm ④ $2\sqrt{15}$ cm
⑤ 8 cm

중요도 ☐ 손도 못댐 ☐ 과정 실수 ☐ 틀린 이유:

07 오른쪽 그림과 같은 △ABC의 두 점 A, B에서 $\overline{BC}$, $\overline{AC}$에 내린 수선의 발을 각각 D, E라고 할 때, $\overline{AC}$의 길이를 구하여라.

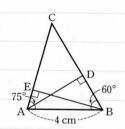

중요도 ☐ 손도 못댐 ☐ 과정 실수 ☐ 틀린 이유:

08 오른쪽 그림과 같은 △ABC의 넓이가 $7\sqrt{3}$ cm²일 때, ∠A의 크기는?

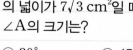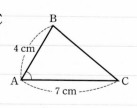

① 30°   ② 45°
③ 50°   ④ 60°
⑤ 65°

중요도 ☐ 손도 못댐 ☐ 과정 실수 ☐ 틀린 이유:

중요도 ☐ 손도 못댐 ☐ 과정 실수 ☐ 틀린 이유:

09 오른쪽 그림과 같은 예각삼
각형 ABC에서 $\tan B=2$
일 때, △ABC의 넓이는?

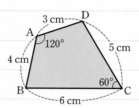

① $\sqrt{39} \text{ cm}^2$ ② $\sqrt{42} \text{ cm}^2$
③ $3\sqrt{5} \text{ cm}^2$ ④ $4\sqrt{3} \text{ cm}^2$
⑤ $2\sqrt{13} \text{ cm}^2$

중요도 ☐ 손도 못댐 ☐ 과정 실수 ☐ 틀린 이유:

10 오른쪽 그림과 같은 사각형
ABCD의 넓이는?

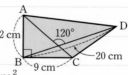

① $\dfrac{21\sqrt{3}}{2} \text{ cm}^2$

② $11\sqrt{3} \text{ cm}^2$

③ $\dfrac{23\sqrt{3}}{2} \text{ cm}^2$

④ $12\sqrt{3} \text{ cm}^2$

⑤ $\dfrac{25\sqrt{3}}{2} \text{ cm}^2$

중요도 ☐ 손도 못댐 ☐ 과정 실수 ☐ 틀린 이유:

11 오른쪽 그림과 같이
∠ABC=90°인 사각형
ABCD의 넓이는?

① $72\sqrt{3} \text{ cm}^2$ ② $75\sqrt{3} \text{ cm}^2$
③ $78\sqrt{3} \text{ cm}^2$ ④ $81\sqrt{3} \text{ cm}^2$
⑤ $84\sqrt{3} \text{ cm}^2$

중요도 ☐ 손도 못댐 ☐ 과정 실수 ☐ 틀린 이유:

12 오른쪽 그림과 같은 평행
사변형 ABCD에서 $\overline{BC}$
의 중점을 M이라 할 때,
△AMC의 넓이는?

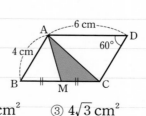

① $2\sqrt{3} \text{ cm}^2$ ② $3\sqrt{3} \text{ cm}^2$ ③ $4\sqrt{3} \text{ cm}^2$
④ $5\sqrt{3} \text{ cm}^2$ ⑤ $6\sqrt{3} \text{ cm}^2$

13 오른쪽 그림과 같은 삼각형 ABC에서 ∠A의 이등분 선과 $\overline{BC}$의 교점을 D라 하면 △ABD의 넓이가 30 cm²일 때, △ADC의 넓이를 구하여라.

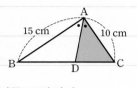

14 오른쪽 그림과 같이 반지름의 길이가 2 cm인 원 O에 내접하는 정팔각형의 넓이를 구하여라.

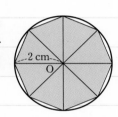

15 나무가 부러져 오른쪽 그림과 같이 나무의 꼭대기 부분이 담 밖의 길바닥에 닿았다. 부러지기 전의 이 나무의 길이를 구하여라.

(단, cos 70°＝0.35, cos 50°＝0.65)

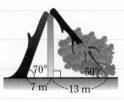

16 어떤 열차가 A 지점에서 산을 향해 시속 60 km의 속력으로 달려가고 있다. A 지점에서 산의 정상을 바라보는 각도가 30°이고 1분 후인 B 지점에서 산을 바라보는 각도가 45°일 때, 산의 높이는 몇 m인지 구하여라.

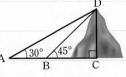

01 중요도 ☐ 손도 못댐 ☐ 과정 실수 ☐ 틀린 이유:

$\sin A = \dfrac{3}{5}$일 때, $\cos A + \tan A$의 값은?

(단, $0° < A < 90°$)

① $\dfrac{21}{20}$ 　② $\dfrac{5}{4}$ 　③ $\dfrac{27}{20}$

④ $\dfrac{29}{20}$ 　⑤ $\dfrac{31}{20}$

02 중요도 ☐ 손도 못댐 ☐ 과정 실수 ☐ 틀린 이유:

오른쪽 그림과 같은 직각삼각형
ABC에서 $\cos A = 2\cos B$가
성립할 때, $\overline{AB}$의 길이는?

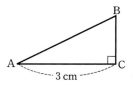

① $\dfrac{3\sqrt{5}}{2}$ cm 　② $2\sqrt{5}$ cm

③ $\dfrac{5\sqrt{5}}{2}$ cm 　④ $3\sqrt{5}$ cm

⑤ $\dfrac{7\sqrt{5}}{2}$ cm

03 중요도 ☐ 손도 못댐 ☐ 과정 실수 ☐ 틀린 이유:

오른쪽 그림과 같이 $\angle C = 90°$인
직각삼각형 ABC에서 $\overline{AB} \perp \overline{CD}$
일 때, $\cos x + \sin y$의 값은?

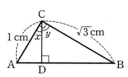

① $\dfrac{\sqrt{2}}{2}$ 　② $\dfrac{\sqrt{3}}{2}$

③ 1 　④ $\sqrt{2}$ 　⑤ $\sqrt{3}$

04 중요도 ☐ 손도 못댐 ☐ 과정 실수 ☐ 틀린 이유:

오른쪽 그림과 같은 직사각형
ABCD에서 $\overline{AH} \perp \overline{BD}$일 때,
$\sin x - \cos x$의 값은?

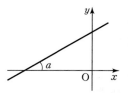

① $-\dfrac{1}{5}$ 　② $\dfrac{1}{5}$

③ $\dfrac{2}{5}$ 　④ $\dfrac{5}{12}$

⑤ $\dfrac{7}{12}$

05 중요도 ☐ 손도 못댐 ☐ 과정 실수 ☐ 틀린 이유:

오른쪽 그림과 같이 직선
$x - \sqrt{3}y + 3 = 0$과 x축이 이루는
$\angle a$의 크기는?

① 15° 　② 30°

③ 45° 　④ 60°

⑤ 75°

06 중요도 ☐ 손도 못댐 ☐ 과정 실수 ☐ 틀린 이유:

다음 중 옳지 않은 것을 모두 고르면? (정답 2개)

① $\cos 30° \times \tan 60° \div \cos 45° = \dfrac{3\sqrt{2}}{2}$

② $2\sin 60° - \sqrt{2}\sin 45° + \tan 30° = \dfrac{\sqrt{3}}{3}$

③ $\sqrt{3}\sin 60° = 1 + \sin 30°$

④ $\tan 30° = \dfrac{1}{\tan 60°}$

⑤ $\tan 45° \div \cos 45° = \sin 45°$

07
중요도 ☐ 손도 못댐 ☐ 과정 실수 ☐ 틀린 이유:

오른쪽 그림과 같이 반지름의 길이가 1인 사분원에서 점 E와 C의 y좌표인 a, b의 값으로 알맞은 것은?

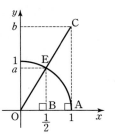

① $a=\sqrt{3}$ ② $a=\dfrac{\sqrt{3}}{2}$

③ $b=\sqrt{2}$ ④ $b=\dfrac{3}{2}$

⑤ $b=2$

08
중요도 ☐ 손도 못댐 ☐ 과정 실수 ☐ 틀린 이유:

다음 중 옳은 것은?

① $0°≤x≤90°$일 때, $0≤\tan x≤1$

② $0°≤x≤90°$일 때, x의 값이 커지면 $\sin x$의 값은 작아진다.

③ $0°<x<45°$일 때, $\sin x>\cos x$

④ $\tan 50°<\tan 65°$

⑤ $\tan 45°=\sin 90°=\cos 90°$

09
중요도 ☐ 손도 못댐 ☐ 과정 실수 ☐ 틀린 이유:

오른쪽 그림과 같은 직각삼각형 ABC에서 $\overline{AB}$의 길이는?

① $5\sin 28°$ ② $\dfrac{5}{\sin 28°}$

③ $5\cos 28°$ ④ $\dfrac{5}{\cos 28°}$

⑤ $5\tan 28°$

10
중요도 ☐ 손도 못댐 ☐ 과정 실수 ☐ 틀린 이유:

오른쪽 그림과 같이 수평면과 36°만큼 기울어지고 C 지점에서의 높이가 10 m인 비탈길이 있다. A 지점에서 출발하여 $\overline{AC}$를 분속 40 m의 속력으로 걸을 때, C 지점까지 가는데 걸리는 시간은?

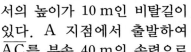
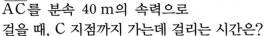

(단, $\sin 36°=0.6$, $\cos 36°=0.8$)

① 20초 ② 25초 ③ 30초

④ 35초 ⑤ 40초

11
중요도 ☐ 손도 못댐 ☐ 과정 실수 ☐ 틀린 이유:

오른쪽 그림과 같은 △ABC에서 $\overline{BC}$의 길이는?

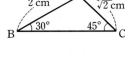

① $\sqrt{6}$ cm ② $(1+\sqrt{3})$cm

③ $(2+\sqrt{2})$cm ④ $(2+\sqrt{3})$cm

⑤ $(2\sqrt{2}+3)$cm

12
중요도 ☐ 손도 못댐 ☐ 과정 실수 ☐ 틀린 이유:

$\sqrt{(\sin x+1)^2}+\sqrt{(\sin x-1)^2}$을 간단히 하면?

(단, $0°<x<90°$)

① 2 ② -2 ③ $2\sin x$

④ $-2\sin x$ ⑤ $-2\cos x$

13 중요도 □ 손도 못댐 □ 과정 실수 □ 틀린 이유:

오른쪽 그림과 같은 △ABC에서 $\tan C = \dfrac{\sqrt{3}}{3}$일 때, △ABC의 넓이는?

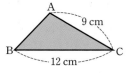

① $27\ \text{cm}^2$ ② $18\sqrt{3}\ \text{cm}^2$ ③ $27\sqrt{3}\ \text{cm}^2$
④ $54\ \text{cm}^2$ ⑤ $54\sqrt{3}\ \text{cm}^2$

14 중요도 □ 손도 못댐 □ 과정 실수 □ 틀린 이유:

오른쪽 그림과 같은 △ABC의 넓이는?

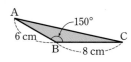

① $12\ \text{cm}^2$ ② $18\ \text{cm}^2$
③ $24\ \text{cm}^2$ ④ $30\ \text{cm}^2$
⑤ $36\ \text{cm}^2$

15 중요도 □ 손도 못댐 □ 과정 실수 □ 틀린 이유:

오른쪽 그림과 같은 정사각뿔 모양의 피라미드의 옆면과 밑면이 이루는 경사각은 52°이고 밑면인 정사각형의 한 변의 길이가 230 m일 때, 이 피라미드의 높이는?

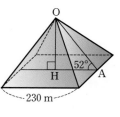

① $115 \cos 38°\ \text{m}$ ② $115 \tan 52°\ \text{m}$
③ $230 \sin 52°\ \text{m}$ ④ $230 \cos 38°\ \text{m}$
⑤ $230 \tan 52°\ \text{m}$

16 중요도 □ 손도 못댐 □ 과정 실수 □ 틀린 이유:

오른쪽 그림과 같은 직각삼각형 ABC의 내접원 O의 반지름의 길이는?

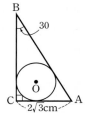

① $(2-\sqrt{3})\text{cm}$ ② $(3-\sqrt{3})\text{cm}$
③ $\sqrt{3}\ \text{cm}$ ④ $(4-\sqrt{3})\text{cm}$
⑤ $(1+\sqrt{3})\text{cm}$

17 중요도 □ 손도 못댐 □ 과정 실수 □ 틀린 이유:

오른쪽 그림과 같이 30 m 떨어진 두 지점 A, B에서 풍선을 올려다본 각이 각각 30°, 60°일 때, 이 풍선의 지상에서의 높이는?

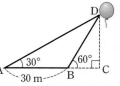

① $15\sqrt{2}\ \text{m}$ ② $15\sqrt{3}\ \text{m}$ ③ $30\ \text{m}$
④ $30\sqrt{2}\ \text{m}$ ⑤ $30\sqrt{3}\ \text{m}$

18 중요도 □ 손도 못댐 □ 과정 실수 □ 틀린 이유:

오른쪽 그림과 같은 사각형 ABCD에서 $\overline{BD}=2\overline{AC}$이고 □ABCD의 넓이가 $8\sqrt{3}\ \text{cm}^2$일 때, $\overline{BD}$의 길이는?

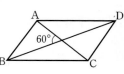

① $3\sqrt{3}\ \text{cm}$ ② $6\ \text{cm}$ ③ $4\sqrt{3}\ \text{cm}$
④ $8\ \text{cm}$ ⑤ $6\sqrt{2}\ \text{cm}$

19

중요도 ☐ 손도 못댐 ☐ 과정 실수 ☐ 틀린 이유:

$\cos(2x-25°)=\dfrac{\sqrt{2}}{2}$일 때, $\tan(x+25°)$의 값을 구하여라. (단, $20°<x<50°$)

20

중요도 ☐ 손도 못댐 ☐ 과정 실수 ☐ 틀린 이유:

다음 삼각비의 표를 이용하여
$\cos 39° + \tan 41° - \sin 42°$의 값을 구하여라.

각도	사인(sin)	코사인(cos)	탄젠트(tan)
39°	0.6293	0.7771	0.8098
40°	0.6428	0.7660	0.8391
41°	0.6561	0.7547	0.8693
42°	0.6691	0.7431	0.9004

21

서술형 중요도 ☐ 손도 못댐 ☐ 과정 실수 ☐ 틀린 이유:

오른쪽 그림과 같이 10 m 떨어진 두 건물 A, B가 있다. A 건물 옥상에서 B 건물을 올려다 본 각도는 30°이고 내려다 본 각도는 45°일 때, B 건물의 높이를 구하여라.

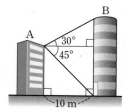

22

중요도 ☐ 손도 못댐 ☐ 과정 실수 ☐ 틀린 이유:

호수의 폭 AB를 구하기 위하여 호수의 바깥쪽에 점 C를 정하고 필요한 부분을 측정하였더니 오른쪽 그림과 같았다. 이때 호수의 폭을 구하여라.

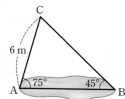

23

중요도 ☐ 손도 못댐 ☐ 과정 실수 ☐ 틀린 이유:

오른쪽 그림과 같이 △ABC가 원 O에 내접하고 있다. 원 O의 반지름의 길이가 8 cm이고, $\overset{\frown}{AB} : \overset{\frown}{BC} : \overset{\frown}{CA} = 3 : 4 : 5$일 때, △BOC의 넓이를 구하여라.

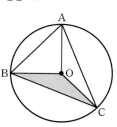

24

서술형 중요도 ☐ 손도 못댐 ☐ 과정 실수 ☐ 틀린 이유:

오른쪽 그림과 같은 평행사변형 ABCD의 넓이를 구하여라.

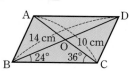

03 원과 현

학습목표 • 원의 현에 관한 성질을 이해하고, 이를 활용할 수 있다.

기본 체크

01

다음 그림에서 x의 값을 구하여라.

(1)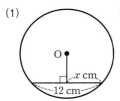
(2)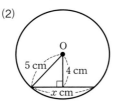

02

다음 그림에서 x의 값을 구하여라.

(1)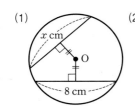
(2)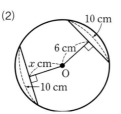

핵심 정리

현의 수직이등분선
↝ 원 위의 두 점을 이은 선분

(1) 원의 중심에서 현에 내린 수선은 그 현을 수직이등분한다.
⇨ $\overline{AB} \perp \overline{OM}$ 이면 $\overline{AM} = \overline{BM}$

(2) 현의 수직이등분선은 그 원의 중심을 지난다.

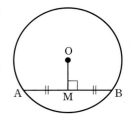

현의 길이

(1) 한 원에서 중심으로부터 같은 거리에 있는 두 현의 길이는 서로 같다.
⇨ $\overline{OM} = \overline{ON}$ 이면 $\overline{AB} = \overline{CD}$

(2) 한 원에서 길이가 같은 두 현은 원의 중심으로부터 같은 거리에 있다.
⇨ $\overline{AB} = \overline{CD}$ 이면 $\overline{OM} = \overline{ON}$

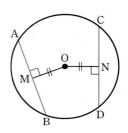

대표예제

• 정답 및 풀이 10쪽

01

오른쪽 그림과 같이 원 O에서 $\overline{AB} \perp \overline{OC}$, $\overline{OH} = \overline{CH}$ 이고 $\overline{CH} = 5$ cm일 때, $\overline{AB}$의 길이를 구하여라.

풀이 $\overline{OH} = \overline{CH} = 5(cm)$이므로

$\overline{OB} = \overline{OC} = \boxed{}\ \overline{CH} = \boxed{} \times 5 = \boxed{}$ (cm)

△OHB에서

$\overline{BH} = \sqrt{\boxed{}^2 - 5^2} = \boxed{} = \boxed{}$ (cm)

원의 중심에서 현에 내린 수선은 그 현을 수직이등분하므로

$\overline{AH} = \overline{BH}$

∴ $\overline{AB} = \boxed{}\ \overline{AH} = \boxed{} \times \boxed{} = \boxed{}$ (cm)

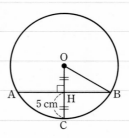

원의 중심에서 현에 내린 수선
⇨ 현을 이등분한다.

02 오른쪽 그림의 원 O에서 $\overline{AB} \perp \overline{OC}$이고,
$\overline{BD} = 6$ cm, $\overline{CD} = 4$ cm일 때, 원 O의 반지름
의 길이를 구하여라.

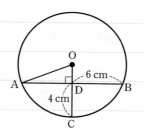

풀이 $\overline{OA} = r$ cm라고 하면

$\overline{AD} = \boxed{} = 6$(cm), $\overline{OD} = \boxed{}$ (cm)이므로

$\triangle OAD$에서 $r^2 = \boxed{}^2 + \left(\boxed{}\right)^2$, $8r = \boxed{}$

$\therefore r = \boxed{}$

따라서 원 O의 반지름의 길이는 $\boxed{}$ cm이다.

03 오른쪽 그림의 원 O에서 $\overline{AB} \perp \overline{OM}$, $\overline{CD} \perp \overline{ON}$
이고, $\overline{AM} = 4$ cm, $\overline{OM} = \overline{ON} = 3$ cm일 때,
$\overline{CD}$의 길이를 구하여라.

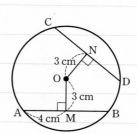

풀이 $\overline{AM} = \boxed{}$이므로

$\overline{AB} = \boxed{} \overline{AM} = \boxed{} \times 4 = \boxed{}$(cm)

이때 $\overline{OM} = \overline{ON}$이므로

$\overline{CD} = \boxed{} = \boxed{}$(cm)

원의 중심으로부터 같은 거리
에 있는 두 현
⇨ 길이가 서로 같다.

04 오른쪽 그림과 같이 원 O의 중심에서 $\overline{AB}$, $\overline{AC}$
에 내린 수선의 발을 각각 M, N이라고 하자.
$\overline{OM} = \overline{ON}$이고 $\angle ABC = 54°$일 때, $\angle x$의 크기
를 구하여라.

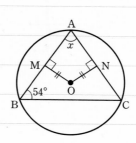

풀이 $\overline{OM} = \overline{ON}$이므로 $\overline{AB} = \boxed{}$

즉, $\triangle ABC$는 이등변삼각형이므로 $\angle C = \boxed{} = \boxed{}$

따라서 $\triangle ABC$에서 $\angle x + 54° + \boxed{} = 180°$

$\therefore \angle x = \boxed{}$

원의 중심과 현의 수직이등분선

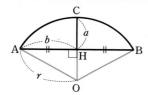

그림과 같이 원의 일부가 주어진 경우 원의 반지름의 길이를 r라 할 때, 피타고라스 정리를 이용하여 반지름
의 길이를 구할 수 있다. ($\overline{OA} = r$, $\overline{AH} = b$, $\overline{OH} = r - a$)
⇒ $\triangle OAH$는 직각삼각형이므로 $r^2 = b^2 + (r-a)^2$

어떤 교과서에나 나오는 문제

01 오른쪽 그림과 같이 반지름의 길이가 10 cm인 원 O에서 $\overline{AB} \perp \overline{OC}$일 때, $\overline{AB}$의 길이는?

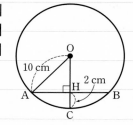

① 11 cm   ② 12 cm

③ 13 cm   ④ 14 cm

⑤ 15 cm

02 오른쪽 그림과 같은 원 O에서 $\overline{AB} \perp \overline{OC}$일 때, 원 O의 반지름의 길이는?

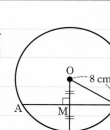

① 4 cm   ② 5 cm

③ 6 cm   ④ 7 cm

⑤ 8 cm

03 오른쪽 그림과 같이 반지름의 길이가 8 cm인 원 O에서 $\overline{AB} \perp \overline{OC}$, $\overline{OM} = \overline{CM}$일 때, $\overline{AB}$의 길이를 구하여라.

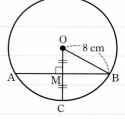

04 오른쪽 그림과 같이 중심이 같은 두 원에서 $\overline{OM} \perp \overline{AB}$일 때, $\overline{AC}$의 길이는?

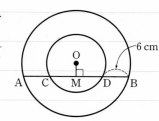

① 4 cm   ② 5 cm

③ 6 cm   ④ 7 cm

⑤ 8 cm

• 정답 및 풀이 11쪽

중요도 ☐ 손도 못댐 ☐ 과정 실수 ☐ 틀린 이유:

05 오른쪽 그림과 같은 원 O 에서 $\overline{ON} \perp \overline{AB}$, $\overline{ON} \perp \overline{CD}$일 때, $\overline{OM}$의 길이는?

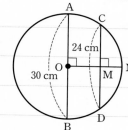

① 8 cm   ② 9 cm

③ 10 cm   ④ 11 cm

⑤ 12 cm

중요도 ☐ 손도 못댐 ☐ 과정 실수 ☐ 틀린 이유:

06 오른쪽 그림과 같은 원 O에서 $\overline{OM} = \overline{ON}$일 때, $\angle ABC$의 크기는?

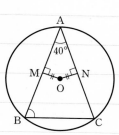

① 40°   ② 50°

③ 60°   ④ 70°

⑤ 80°

중요도 ☐ 손도 못댐 ☐ 과정 실수 ☐ 틀린 이유:

07 오른쪽 그림과 같은 원 O에서 $\overline{OM} = \overline{ON}$일 때, $\overline{CD}$의 길이는?

① $4\sqrt{3}$ cm   ② $5\sqrt{3}$ cm

③ $6\sqrt{3}$ cm   ④ $7\sqrt{3}$ cm

⑤ $8\sqrt{3}$ cm

중요도 ☐ 손도 못댐 ☐ 과정 실수 ☐ 틀린 이유:

08 오른쪽 그림과 같이 원 O의 중심에서 $\overline{AB}$, $\overline{BC}$, $\overline{CA}$에 내린 수선의 발을 각각 L, M, N이라고 하자. $\overline{OL} = \overline{OM} = \overline{ON}$일 때, $\triangle ABC$의 둘레의 길이를 구하여라.

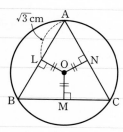

01 오른쪽 그림과 같이 원 O의 중심에서 현 AB에 내린 수선의 발을 M이라고 할 때, 원 O의 넓이는?

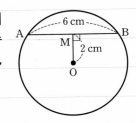

① $12\pi \text{ cm}^2$ ② $13\pi \text{ cm}^2$
③ $14\pi \text{ cm}^2$ ④ $15\pi \text{ cm}^2$
⑤ $16\pi \text{ cm}^2$

02 오른쪽 그림과 같이 원 O의 중심에서 현 AB에 내린 수선의 발을 M이라고 하자. 삼각형 OMB의 넓이가 $\sqrt{5} \text{ cm}^2$일 때, 원 O의 반지름의 길이는?

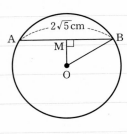

① 1 cm   ② 2 cm   ③ 3 cm
④ 4 cm   ⑤ 5 cm

03 오른쪽 그림과 같은 원 O에서 $\overline{AB} \perp \overline{OC}$일 때, 원 O의 반지름의 길이는?

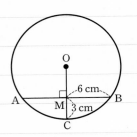

① 7 cm   ② $\dfrac{15}{2}$ cm
③ 8 cm   ④ $\dfrac{17}{2}$ cm
⑤ 9 cm

04 오른쪽 그림과 같은 원 O에서 $\overline{AB} \perp \overline{OC}$일 때, $\overline{AB}$의 길이를 구하여라.

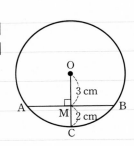

중요도 ☐ 손도 못댐 ☐ 과정 실수 ☐ 틀린 이유:

05 오른쪽 그림과 같이 반지름의 길이가 10 cm인 원 위의 한 점이 원의 중심 O에 겹쳐지도록 $\overline{AB}$를 접는 선으로 하여 접었을 때, $\overline{AB}$의 길이는?

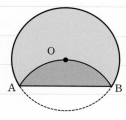

① $5\sqrt{5}$ cm   ② $5\sqrt{6}$ cm   ③ $6\sqrt{5}$ cm
④ $10\sqrt{2}$ cm   ⑤ $10\sqrt{3}$ cm

중요도 ☐ 손도 못댐 ☐ 과정 실수 ☐ 틀린 이유:

06 오른쪽 그림은 반지름의 길이가 10 cm인 원의 일부분이다. $\overline{AD}=\overline{BD}$이고 $\overline{AB}\perp\overline{CD}$일 때, $\overline{CD}$의 길이를 구하여라.

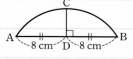

중요도 ☐ 손도 못댐 ☐ 과정 실수 ☐ 틀린 이유:

07 오른쪽 그림에서 $\overparen{AB}$는 원의 일부이다. $\overline{AD}=\overline{BD}$, $\overline{AB}\perp\overline{CD}$일 때, 이 원의 반지름의 길이는?

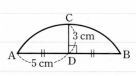

① 5 cm   ② $\dfrac{16}{3}$ cm   ③ $\dfrac{17}{3}$ cm

④ 6 cm   ⑤ $\dfrac{19}{3}$ cm

중요도 ☐ 손도 못댐 ☐ 과정 실수 ☐ 틀린 이유:

08 오른쪽 그림과 같이 중심이 같은 두 원에서 $\overline{OM}\perp\overline{AD}$일 때, $\overline{OD}$의 길이를 구하여라.

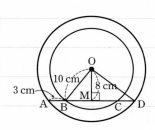

09 오른쪽 그림과 같은 반지름의 길이가 5 cm인 원 O에서 $\overline{OM}=\overline{ON}=4$ cm일 때, $\overline{CD}$의 길이는?

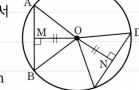

① 4 cm ② 5 cm
③ 6 cm ④ 7 cm
⑤ 8 cm

10 오른쪽 그림과 같은 원 O에서 $\overline{AB}\perp\overline{OM}$, $\overline{AC}\perp\overline{ON}$이고 $\overline{OM}=\overline{ON}$일 때, $\angle ACB$의 크기는?

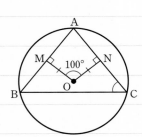

① 50° ② 55°
③ 60° ④ 65°
⑤ 70°

11 오른쪽 그림과 같은 원의 중심 O에서 $\overline{AB}$, $\overline{AC}$에 내린 수선의 발을 각각 M, N이라 하고 $\overline{OM}=\overline{ON}$일 때, $\angle B$의 크기를 구하여라.

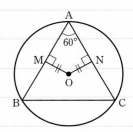

12 오른쪽 그림과 같이 원 O에 내접하는 △ABC에서 $\overline{AB}\perp\overline{OM}$, $\overline{AC}\perp\overline{ON}$이고, $\overline{OM}=\overline{ON}$일 때, $\angle MON$의 크기는?

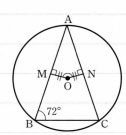

① 140° ② 142°
③ 144° ④ 146°
⑤ 148°

13 오른쪽 그림과 같이 원 O의 중심에서 두 현 AB, CD에 내린 수선의 발을 각각 M, N이라고 하자. $\overline{OM}=\overline{ON}$일 때, $\overline{CD}$의 길이를 구하여라.

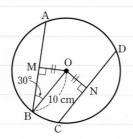

중요도 ☐ 손도 못댐 ☐ 과정 실수 ☐ 틀린 이유:

14 오른쪽 그림과 같이 삼각형 ABC가 원 O에 내접하고 원의 중심 O에서 $\overline{AB}$, $\overline{BC}$, $\overline{AC}$에 내린 수선의 발을 각각 D, E, F라고 하자. $\overline{AB}=18\,\text{cm}$, $\overline{OD}=\overline{OE}=\overline{OF}$일 때, 원 O의 반지름의 길이는?

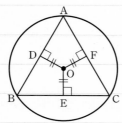

중요도 ☐ 손도 못댐 ☐ 과정 실수 ☐ 틀린 이유:

① $3\sqrt{3}\,\text{cm}$　　② $4\sqrt{3}\,\text{cm}$　　③ $5\sqrt{3}\,\text{cm}$
④ $6\sqrt{3}\,\text{cm}$　　⑤ $7\sqrt{3}\,\text{cm}$

15 오른쪽 그림과 같은 반원에서 $\overline{AB}\perp\overline{CD}$일 때, 두 점 C, D를 지나는 원 O의 현의 길이는?

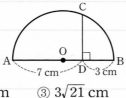

중요도 ☐ 손도 못댐 ☐ 과정 실수 ☐ 틀린 이유:

① $\sqrt{21}\,\text{cm}$　　② $2\sqrt{21}\,\text{cm}$　　③ $3\sqrt{21}\,\text{cm}$
④ $4\sqrt{21}\,\text{cm}$　　⑤ $5\sqrt{21}\,\text{cm}$

16 오른쪽 그림과 같은 원에서 원의 중심 O와 두 현 AB, AC사이의 거리가 같다. $\overline{AB}=8\,\text{cm}$일 때, $\triangle ABC$의 넓이를 구하여라.

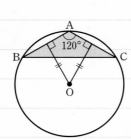

중요도 ☐ 손도 못댐 ☐ 과정 실수 ☐ 틀린 이유:

04 원의 접선

학습목표 • 원의 접선에 관한 성질을 이해하고, 이를 활용할 수 있다.

기본 체크

01

다음 그림에서 두 점 A, B는 점 P에서 원 O에 그은 두 접선의 접점일 때, x의 값을 구하여라.

(1)
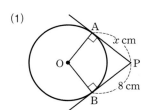

(2)
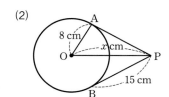

핵심 정리

원의 접선

원의 접선은 그 접점을 한 끝점으로 하는 반지름과 서로 수직이다. $\angle PAO = \angle PBO = 90°$

(1) 원 O의 외부에 있는 한 점 P에서 그 원에 그은 두 접선의 길이는 같다.
⇨ $\overline{PA} = \overline{PB}$

(2) $\triangle PAO \equiv \triangle PBO$ (RHS합동)

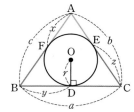

보충 원 O의 외부에 있는 한 점 P에서 이 원에 그을 수 있는 접선은 2개이고, 접점을 각각 A, B라고 하면 $\overline{PA}$, $\overline{PB}$의 길이를 점 P에서 원 O에 그은 접선의 길이라 한다.

원의 접선의 길이의 활용

원 O가 △ABC에 내접하고 내접원의 반지름의 길이가 r일 때

(1) $\overline{AE} = \overline{AF}$, $\overline{BD} = \overline{BF}$, $\overline{CD} = \overline{CE}$

(2) △ABC의 둘레의 길이
⇨ $a + b + c = 2(x + y + z)$

(3) △ABC의 넓이
⇨ $\triangle ABC = \dfrac{1}{2} r(a + b + c)$

대표예제

• 정답 및 풀이 12쪽

01

오른쪽 그림과 같이 원 O 위의 세 점 A, B, C에서 각각 그은 세 접선이 두 점 P, Q에서 만날 때, $\overline{PQ}$의 길이를 구하여라.

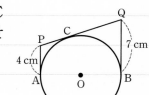

풀이 점 P에서 두 접점 A, C에 이르는 거리는 같으므로

$\overline{PC} = \boxed{} = \boxed{}$ (cm)

마찬가지로 $\overline{QC} = \boxed{} = \boxed{}$ (cm)

∴ $\overline{PQ} = \overline{PC} + \overline{QC} = \boxed{} + \boxed{} = \boxed{}$ (cm)

원의 외부에 있는 한 점에서 그 원에 그은 두 접선의 길이는 서로 같다.

02 오른쪽 그림에서 원 O는 △ABC의 내접원이고 점 P, Q, R는 각각 원 O의 접점이다. $\overline{AB}=8\ cm$, $\overline{BC}=10\ cm$, $\overline{AC}=6\ cm$일 때, x의 값을 구하여라.

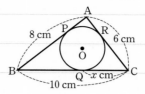

풀이 $\overline{AB}$, $\overline{BC}$, $\overline{AC}$는 각각 원 O의 접선이므로

$\overline{CQ}=\boxed{}=x\ cm$, $\overline{AP}=\boxed{}=\boxed{}\ (cm)$, $\overline{BP}=\boxed{}=\boxed{}\ (cm)$

이때 $\overline{AB}=\overline{AP}+\overline{BP}$이므로 $8=(\boxed{})+(\boxed{})$

$8=\boxed{}-2x$, $2x=\boxed{}$ $\therefore$ $x=\boxed{}$

삼각형의 각 변이 원의 접선이 되므로 꼭짓점에서 접점까지의 거리가 접선의 길이이다.

03 오른쪽 그림과 같이 원 O는 직각삼각형 ABC의 내접원이고 점 D, E, F는 접점이다. $\overline{BD}=6\ cm$, $\overline{AD}=4\ cm$일 때, 이 원의 반지름의 길이를 구하여라.

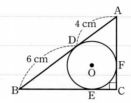

풀이 원 O의 반지름의 길이를 x cm라 하면

$\overline{CE}=\overline{CF}=\boxed{}\ cm$, $\overline{AF}=\overline{AD}=\boxed{}\ cm$

$\therefore$ $\overline{AC}=\overline{AF}+\overline{CF}=\boxed{}\ (cm)$

또, $\overline{BE}=\overline{BD}=\boxed{}\ cm$이므로 $\overline{BC}=\overline{BE}+\overline{CE}=\boxed{}\ (cm)$

따라서 직각삼각형 ABC에서 $\overline{AB}^2=\overline{AC}^2+\overline{BC}^2$이므로

$(6+4)^2=(\boxed{})^2+(\boxed{})^2$, $x^2+10x-\boxed{}=0$

$(x+\boxed{})(x-\boxed{})=0$ $\therefore$ $x=\boxed{}\ (cm)$ $(\because x>0)$

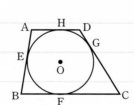

정사각형

04 오른쪽 그림에서 □ABCD는 원 O에 외접하고 네 점 E, F, G, H는 그 접점이다. $\overline{AB}+\overline{CD}=10\ cm$일 때, $\overline{AD}+\overline{BC}$의 값을 구하여라.

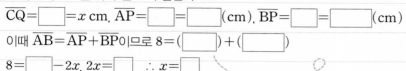

풀이 원의 외부에 있는 한 점에서 원에 그은 두 접선의 길이는 같으므로

$\overline{AE}=\overline{AH}$, $\overline{DG}=\overline{DH}$, $\overline{BE}=\overline{BF}$, $\overline{CG}=\overline{CF}$

$\therefore$ $\overline{AB}+\overline{CD}=(\overline{AE}+\overline{BE})+(\overline{CG}+\overline{DG})$

$=(\boxed{}+\boxed{})+(\boxed{}+\boxed{})$

$=(\overline{AH}+\overline{DH})+(\overline{BF}+\overline{CF})$

$=\boxed{}+\boxed{}=\boxed{}\ cm$

원의 외접사각형

(1) 원의 외접사각형의 두 쌍의 대변의 길이의 합은 서로 같다.
  $\Rightarrow$ $\overline{AB}+\overline{CD}=\overline{AD}+\overline{BC}$
(2) 대변의 길이의 합이 같은 사각형은 원에 외접한다.

주의 외접사각형의 성질에서 '대변의 길이의 합'을 '이웃하는 변의 길이의 합'으로 혼동하지 않도록 한다.

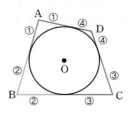

01 오른쪽 그림에서 두 점 A, B는 원 밖의 점 P에서 원 O에 그은 두 접선의 접점일 때, ∠PAB의 크기를 구하여라.

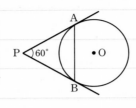

02 오른쪽 그림에서 두 점 A, B는 점 P에서 원 O에 그은 두 접선의 접점일 때, $\overline{\text{PA}}$의 길이는?

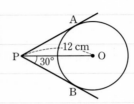

① 6 cm ② 8 cm
③ $6\sqrt{2}$ cm ④ $6\sqrt{3}$ cm
⑤ 12 cm

03 오른쪽 그림에서 □ABCD가 원 O에 외접하고 점 E는 접점일 때, x의 값을 구하여라.

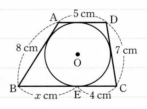

04 오른쪽 그림에서 원 O는 ∠C=90°인 △ABC의 내접원이고 세 점 D, E, F는 접점일 때, 원 O의 반지름의 길이를 구하여라.

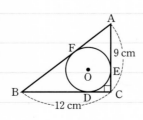

05 오른쪽 그림에서 세 직선 AD, AF, BC는 원 O의 접선이고 점 D, E, F는 접점일 때, $\overline{CF}$의 길이를 구하여라.

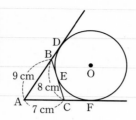

중요도 ☐ 손도 못댐 ☐ 과정 실수 ☐ 틀린 이유:

---

06 오른쪽 그림에서 원 O는 △ABC의 내접원이고 세 점 D, E, F는 접점일 때, $\overline{AF}+\overline{BD}+\overline{CE}$의 값은?

① 12 cm   ② 13 cm
③ 14 cm   ④ 15 cm
⑤ 16 cm

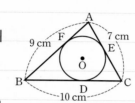

중요도 ☐ 손도 못댐 ☐ 과정 실수 ☐ 틀린 이유:

---

07 오른쪽 그림과 같이 원 O는 삼각형 ABC에 내접한다. 세 점 D, E, F는 접점일 때, $\overline{AD}$의 길이는?

① 3 cm   ② 4 cm
③ 5 cm   ④ 6 cm
⑤ 7 cm

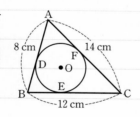

중요도 ☐ 손도 못댐 ☐ 과정 실수 ☐ 틀린 이유:

---

08 오른쪽 그림에서 $\overline{AB}$는 반원 O의 지름이고 $\overline{AD}$, $\overline{BC}$, $\overline{CD}$는 반원 O의 접선일 때, □ABCD의 넓이를 구하여라.

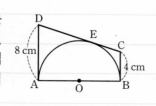

중요도 ☐ 손도 못댐 ☐ 과정 실수 ☐ 틀린 이유:

시험에 꼭 나오는 문제

01 오른쪽 그림에서 $\overline{PA}$, $\overline{PB}$는 원 O의 접선일 때, $\overparen{AB}$의 길이는?

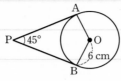

① 3π cm   ② $\dfrac{7}{2}\pi$ cm

③ 4π cm   ④ $\dfrac{9}{2}\pi$ cm

⑤ 5π cm

02 오른쪽 그림에서 $\overline{PA}$는 원 O의 접선일 때, $\overline{OA}$의 길이는?

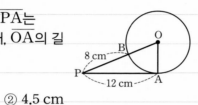

① 4 cm   ② 4.5 cm

③ 5 cm   ④ 5.5 cm

⑤ 6 cm

03 오른쪽 그림에서 $\overline{PA}$, $\overline{PB}$는 원 O의 접선일 때, 다음 중 옳지 <u>않은</u> 것은?

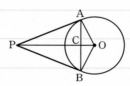

① $\overline{PA}=\overline{PB}$
② $\overline{PA}=\overline{PC}$
③ $\angle APO=\angle BPO$
④ $\overline{PO}^2=\overline{PA}^2+\overline{AO}^2$
⑤ $\angle APB+\angle AOB=180°$

04 오른쪽 그림에서 $\overrightarrow{PX}$, $\overrightarrow{PY}$는 원 O의 접선이고 점 C, X, Y는 접점일 때, $\overline{AC}$의 길이는?

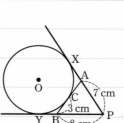

① 3 cm   ② 3.5 cm

③ 4 cm   ④ 4.5 cm

⑤ 5 cm

05 오른쪽 그림과 같이 반원 O 위의 한 점 T에서 그은 접선이 지름 BC의 양 끝점에서 그은 접선과 만나는 점을 각각 A, D라 할 때, $\overline{AB}$의 길이는?

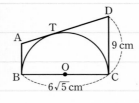

중요도 ☐ 손도 못댐 ☐ 과정 실수 ☐ 틀린 이유:

① 4 cm　　② 4.5 cm　　③ 5 cm
④ 5.5 cm　　⑤ 6 cm

06 오른쪽 그림에서 점 O는 △ABC의 내심이고 점 D, E, F는 접점일 때, $\overline{CE}$의 길이는?

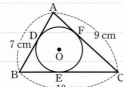

중요도 ☐ 손도 못댐 ☐ 과정 실수 ☐ 틀린 이유:

① 5 cm　　② 5.5 cm
③ 6 cm　　④ 6.5 cm
⑤ 7 cm

07 오른쪽 그림과 같은 직각삼각형 ABC에 원 O가 내접할 때, 이 원의 반지름의 길이를 구하여라.

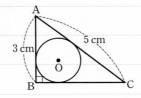

중요도 ☐ 손도 못댐 ☐ 과정 실수 ☐ 틀린 이유:

08 오른쪽 그림에서 원 O는 직각삼각형 ABC의 내접원이고, 세 점 D, E, F는 접점일 때, 원 O의 둘레의 길이는?

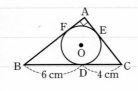

중요도 ☐ 손도 못댐 ☐ 과정 실수 ☐ 틀린 이유:

① 2 cm　　② π cm　　③ 2π cm
④ 3π cm　　⑤ 4π cm

09 오른쪽 그림과 같이 □ABCD가 원 O에 외접할 때, x의 값은?

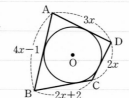

① 2   ② 3
③ 4   ④ 5
⑤ 6

10 오른쪽 그림과 같이 원 O에 외접하는 □ABCD에서 ∠A＝∠B＝90°이고 $\overline{AD}$와 원 O의 접점을 P라 할 때, $\overline{DP}$의 길이는?

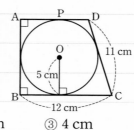

① 3 cm   ② 3.5 cm   ③ 4 cm
④ 4.5 cm   ⑤ 5 cm

11 오른쪽 그림과 같이 원 O는 직사각형 ABCD의 세 변에 접하고 있다. $\overline{DE}$가 원 O의 접선이고 점 P, Q, R, S는 접점일 때, △CDE의 넓이는?

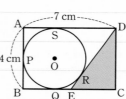

① $\dfrac{26}{5}$ cm²   ② $\dfrac{28}{5}$ cm²   ③ 6 cm²

④ $\dfrac{32}{5}$ cm²   ⑤ $\dfrac{42}{5}$ cm²

12 오른쪽 그림과 같은 정사각형 ABCD의 변 BC를 지름으로 하는 반원 O가 있다. $\overline{AE}$가 반원의 접선일 때, $\overline{AE}$의 길이는?

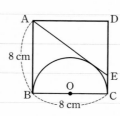

① 8 cm   ② 8.5 cm   ③ 9 cm
④ 9.5 cm   ⑤ 10 cm

중요도 ☐ 손도 못댐 ☐ 과정 실수 ☐ 틀린 이유:

13 오른쪽 그림과 같이 중심이 같은 두 원의 반지름의 길이는 각각 3 cm, 5 cm이고 점 Q, R는 작은 원의 접점이다. 큰 원의 두 현 AB와 CD의 교점을 P라 할 때, $\overline{BP}$의 길이를 구하여라.

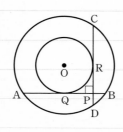

중요도 ☐ 손도 못댐 ☐ 과정 실수 ☐ 틀린 이유:

14 오른쪽 그림과 같이 원 O에 외접하는 □ABCD에서 ∠C=∠D=90°일 때, $\overline{AB}$ 의 길이는?

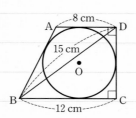

① 10 cm　　② 11 cm
③ 12 cm　　④ 13 cm
⑤ 14 cm

중요도 ☐ 손도 못댐 ☐ 과정 실수 ☐ 틀린 이유:

15 오른쪽 그림과 같이 중심이 같은 두 원에서 작은 원에 접하는 큰 원의 현 AB, CD을 서로 평행하게 그었을 때 $\overline{AB}$=8 cm이고, $\overline{AB}$와 $\overline{CD}$ 사이의 거리가 8 cm이다. 색칠한 부분의 넓이를 구하여라.

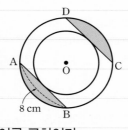

중요도 ☐ 손도 못댐 ☐ 과정 실수 ☐ 틀린 이유:

16 오른쪽 그림과 같이 직사각형 ABCD에 원 O′이 세 변에 접하고, $\overline{AF}$는 원 O′과 점 E에서 접한다. 원 O가 △ABF에 내접할 때, 큰 원의 둘레의 길이와 작은 원의 둘레의 길이의 차를 구하여라.

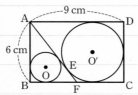

05 원주각

학습목표 · 원주각과 중심각의 크기 사이의 관계를 이용하여 각의 크기를 구할 수 있다.
· 원주각과 중심각의 크기 사이의 관계를 이용하여 한 호에 대한 원주각의 크기가 일정함을 알 수 있다.

기본 체크

01

다음 그림에서 ∠x, ∠y의 크기를 각각 구하여라.

(1)

(2)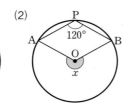

02

다음 그림에서 x의 값을 구하여라.

(1)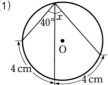

(2)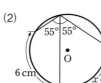

핵심 정리

원주각과 중심각

(1) 원주각: 원 O에서 호 AB를 제외한 원 위의 한 점을 P라 할 때, ∠APB를 호 AB에 대한 원주각이라 한다.

(2) 원주각과 중심각의 관계: 한 원에서 한 호에 대한 원주각의 크기는 그 호에 대한 중심각의 크기의 $\frac{1}{2}$이다.

⇨ $\angle APB = \frac{1}{2}\angle AOB$

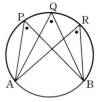

(3) 원주각의 성질: 한 원에서 한 호에 대한 원주각의 크기는 모두 같다.

⇨ ∠APB=∠AQB=∠ARB

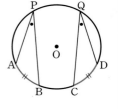

보충 호 AB에 대한 중심각은 하나로 정해지지만 원주각은 무수히 많이 그릴 수 있다.

원주각의 크기와 호의 길이

(1) 한 원에서 길이가 같은 호에 대한 원주각의 크기는 서로 같다.

⇨ $\widehat{AB}=\widehat{CD}$이면 ∠APB=∠CQD

(2) 한 원에서 크기가 같은 원주각에 대한 호의 길이는 서로 같다.

⇨ ∠APB=∠CQD이면 $\widehat{AB}=\widehat{CD}$

(3) 원주각의 크기와 호의 길이는 정비례한다.

보충 원에서 호가 반원이면 그 호에 대한 원주각의 크기는 90°이다.

대표예제

· 정답 및 풀이 15쪽

01 오른쪽 그림과 같은 원 O에서 ∠AOB=90°일 때, ∠x와 ∠y의 크기를 각각 구하여라.

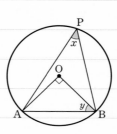

풀이 $\angle x = \boxed{}\angle AOB = \boxed{}\times 90° = \boxed{}$

△OAB에서 $\overline{OA}=\overline{OB}$이므로

$\angle y = \frac{1}{2}(180° - \boxed{}) = \boxed{}$

원주각의 크기는 중심각의 크기의 $\frac{1}{2}$이다.

02

오른쪽 그림에서 $\overline{\text{AC}}$는 원 O의 지름이고 $\angle \text{BAC}=30°$일 때, $\angle \text{ADB}$의 크기를 구하여라.

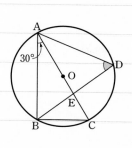

풀이 $\angle \text{ADB}$와 □는 모두 $\overarc{\text{AB}}$에 대한 원주각이므로

$\angle \text{ADB}=$□

한편, $\overline{\text{AC}}$는 원 O의 지름이므로 반원에 대한 원주각

$\angle \text{ABC}$의 크기는 □이다.

이때 $\angle \text{BAC}=30°$이므로

$\angle \text{ACB}=180°-(\angle \text{ABC}+\angle \text{BAC})$

$\quad\quad\quad\quad=180°-(\boxed{}+30°)=\boxed{}$

$\therefore \angle \text{ADB}=\boxed{}=\boxed{}$

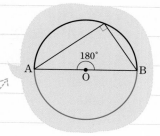

03

오른쪽 그림에서 $\overarc{\text{BC}}$의 길이가 $\overarc{\text{AB}}$의 길이의 3배일 때, $\angle x$와 $\angle y$의 크기를 각각 구하여라.

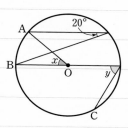

풀이 중심각의 크기는 원주각의 크기의 □배이므로

$\angle x=\boxed{}\times 20°=\boxed{}$

한편, 원주각의 크기는 호의 길이에 정비례하고,

$\overarc{\text{BC}}=3\overarc{\text{AB}}$이므로

$\angle y=\boxed{}\times 20°=\boxed{}$

> 한 원에서 중심각의 크기와 호의 길이는 정비례하므로 원주각의 크기와 호의 길이도 정비례한다.

04

오른쪽 그림과 같은 원 O에서 $\overarc{\text{AB}}=3$ cm, $\overarc{\text{BC}}=9$ cm이고, $\angle \text{BOC}=120°$일 때, $\angle x$의 크기를 구하여라.

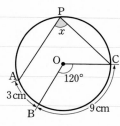

풀이 선분 PB를 그으면

$\angle \text{BPC}=\boxed{}\angle \text{BOC}=\boxed{}\times 120°=\boxed{}$

한 원에서 호의 길이와 그 호에 대한 원주각의 크기는 서로 정비례하므로

$3:9=\angle \text{APB}:\boxed{}$에서 $\angle \text{APB}=\boxed{}$

$\therefore \angle x=\boxed{}+\boxed{}=\boxed{}$

원주각과 삼각비의 값

삼각형 ABC가 원 O에 내접할 때,

$\angle \text{BAC}$는 $\overarc{\text{BC}}$의 원주각이다.

또한 $\angle \text{BA}'\text{C}$도 $\overarc{\text{BC}}$의 원주각이므로 $\angle \text{BAC}=\angle \text{BA}'\text{C}$이다.

$\overarc{\text{A}'\text{B}}$의 원주각인 $\angle \text{A}'\text{CB}=90°$이므로 삼각형 $\text{A}'\text{BC}$는 직각삼각형이다.

그러므로 $\overline{\text{A}'\text{B}}^2=\overline{\text{A}'\text{C}}^2+\overline{\text{BC}}^2$이고, $\sin A=\dfrac{\overline{\text{BC}}}{\overline{\text{A}'\text{B}}}$, $\cos A=\dfrac{\overline{\text{A}'\text{C}}}{\overline{\text{A}'\text{B}}}$, $\tan A=\dfrac{\overline{\text{BC}}}{\overline{\text{A}'\text{C}}}$가 된다.

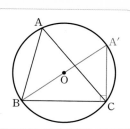

어떤 교과서에나 나오는 문제

중요도 ☐ 손도 못댐 ☐ 과정 실수 ☐ 틀린 이유:

01 오른쪽 그림과 같은 원 O에서 ∠AOB의 크기는?

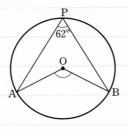

① 120°　② 122°
③ 124°　④ 126°
⑤ 128°

중요도 ☐ 손도 못댐 ☐ 과정 실수 ☐ 틀린 이유:

02 오른쪽 그림과 같은 원 O에서 $\angle x + \angle y$의 크기는?

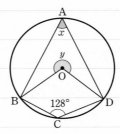

① 292°　② 298°
③ 302°　④ 308°
⑤ 312°

중요도 ☐ 손도 못댐 ☐ 과정 실수 ☐ 틀린 이유:

03 오른쪽 그림과 같은 원에서 ∠APD의 크기는?

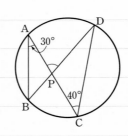

① 65°　② 70°
③ 75°　④ 80°
⑤ 85°

중요도 ☐ 손도 못댐 ☐ 과정 실수 ☐ 틀린 이유:

04 오른쪽 그림과 같은 원 O에서 $\overline{AB}$는 지름일 때, ∠BPC의 크기는?

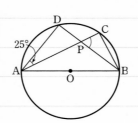

① 50°　② 55°
③ 60°　④ 65°
⑤ 70°

05 오른쪽 그림과 같은 반원 O 에서 ∠APB의 크기를 구 하여라.

중요도 ☐ 손도 못댐 ☐ 과정 실수 ☐ 틀린 이유:

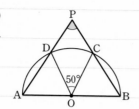

06 오른쪽 그림과 같은 원에서 $\overset{\frown}{BC}$의 길이는?

중요도 ☐ 손도 못댐 ☐ 과정 실수 ☐ 틀린 이유:

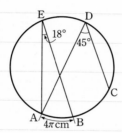

① 4π cm   ② 5π cm
③ 6π cm   ④ 7π cm
⑤ 8π cm

07 오른쪽 그림과 같은 원 O에서 ∠AEB의 크기는?

중요도 ☐ 손도 못댐 ☐ 과정 실수 ☐ 틀린 이유:

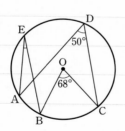

① $15°$ ② $16°$
③ $17°$ ④ $18°$
⑤ $19°$

08 오른쪽 그림과 같이 점 P 는 $\overline{AC}$와 $\overline{BD}$의 교점이 다. ∠BAC=35°, ∠BPC=95°, $\overset{\frown}{AD}$=10 cm일 때, $\overset{\frown}{BC}$ 의 길이는?

중요도 ☐ 손도 못댐 ☐ 과정 실수 ☐ 틀린 이유:

① 8 cm   ② 12 cm   ③ $\dfrac{25}{3}$ cm

④ $\dfrac{35}{6}$ cm   ⑤ $\dfrac{17}{2}$ cm

시험에 꼭 나오는 문제

01 오른쪽 그림과 같은 원 O에서 $\overline{OA} = \overline{AB} = \overline{BO}$일 때, ∠ACB의 크기는?

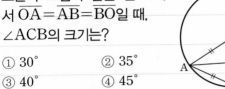

① 30°   ② 35°
③ 40°   ④ 45°
⑤ 50°

02 오른쪽 그림과 같이 원 밖의 한 점 P에서 그은 두 접선의 접점이 Q, R일 때, ∠QSR의 크기는?

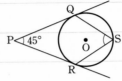

① 60°   ② 62.5°   ③ 65°
④ 67.5°   ⑤ 70°

03 오른쪽 그림과 같은 원 O에서 $\overline{AC}$는 지름일 때, ∠ABD의 크기는?

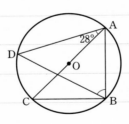

① 60°   ② 61°
③ 62°   ④ 63°
⑤ 64°

04 오른쪽 그림과 같은 원 O에서 $\overline{BD}$는 지름일 때, ∠DBC의 크기는?

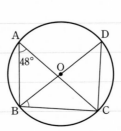

① 32°   ② 38°
③ 42°   ④ 48°
⑤ 52°

05 오른쪽 그림과 같은 원에서 $\overset{\frown}{AC} = \overset{\frown}{BD}$일 때, ∠DPB의 크기는?

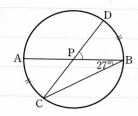

① 46°   ② 48°

③ 50°   ④ 52°

⑤ 54°

06 오른쪽 그림과 같은 원에서 $\overset{\frown}{AD} = 2\overset{\frown}{BC}$일 때, ∠ABD의 크기는?

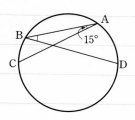

① 15°   ② 20°

③ 25°   ④ 30°

⑤ 35°

07 오른쪽 그림과 같은 원에서 $\overline{AB} /\!/ \overline{CD}$일 때, ∠CDA의 크기는?

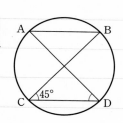

① 40°   ② 45°

③ 50°   ④ 55°

⑤ 60°

08 오른쪽 그림과 같은 원에서 $\overset{\frown}{AC} : \overset{\frown}{BD} = 1 : 3$일 때, ∠BPD의 크기를 구하여라.

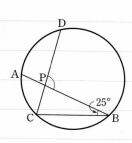

09 오른쪽 그림과 같이 원 O에 내접
하는 △ABC에서
$\overline{BC}=8$이고, $\tan A=\dfrac{2\sqrt{3}}{3}$일
때, 원 O의 넓이를 구하여라.

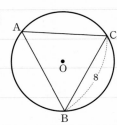

10 오른쪽 그림과 같이 반지름의 길
이가 9 cm인 원 O에 내접하는
삼각형 ABC에서
$\overline{BC}=15$ cm일 때, $\tan A$의
값은?

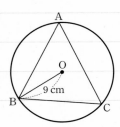

① $\dfrac{15}{11}$　　② $\dfrac{\sqrt{11}}{11}$

③ $3\sqrt{11}$　　④ $\dfrac{5\sqrt{11}}{11}$　　⑤ $\dfrac{8\sqrt{11}}{15}$

11 오른쪽 그림과 같은 반원 O에서
∠APD의 크기는?

① 40°　　② 45°
③ 50°　　④ 55°
⑤ 60°

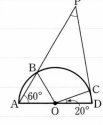

12 오른쪽 그림과 같은 반원 O
에서 $\overarc{BC}=\overarc{CD}$에서 일 때,
∠APD의 크기는?

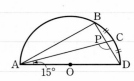

① 100°　　② 105°
③ 110°　　④ 115°
⑤ 120°

13 오른쪽 그림과 같은 원 O에서 $\overline{AB}$, $\overline{QR}$이 지름일 때, ∠APR의 크기는?

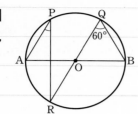

① 20°　　② 25°

③ 30°　　④ 35°

⑤ 40°

14 오른쪽 그림과 같은 원 O에서 ∠ABO의 크기는?

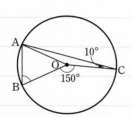

① 45°　　② 50°

③ 55°　　④ 60°

⑤ 65°

15 오른쪽 그림과 같은 원 O 위의 5개의 점 A, B, C, D, E를 이어 별모양을 만들었다. ∠A+∠B+∠C+∠D+∠E의 값을 구하여라.

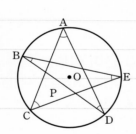

16 무대의 길이가 16 m인 원 모양의 공연장이 있다. 오른쪽 그림과 같이 원 위에서 공연장 무대의 양 끝을 바라본 각의 크기가 30°일 때, 이 공연장의 지름의 길이를 구하여라.

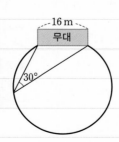

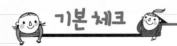 기본 체크

01

다음 그림에서 $\angle x$, $\angle y$의 크기를 각각 구하여라.

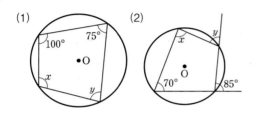

핵심 정리

✳ 원과 사각형

(1) 네 점이 한 원 위에 있을 조건

두 점 C, D가 직선 AB에 대하여 같은 쪽에 있을 때, $\angle ACB = \angle ADB$이면 네 점 A, B, C, D는 한 원 위에 있다.

이때 두 점 C, D가 직선 AB에 대하여 다른 쪽에 있으면 네 점 A, B, C, D는 한 원 위에 있지 않을 수도 있다.

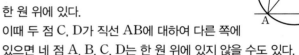

(2) 원에 내접하는 사각형의 성질

① 원에 내접하는 사각형의 한 쌍의 대각의 크기의 합은 180°이다. → 마주보는 각

⇨ $\angle A + \angle C = 180°$, $\angle B + \angle D = 180°$

② 원에 내접하는 사각형의 한 외각의 크기는 외각과 이웃한 그 내각에 대한 대각의 크기와 같다.

⇨ $\angle A = \angle DCE$

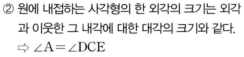

(3) (2)의 ①과 ②는 사각형의 원에 내접하기 위한 조건이 된다.

참고 등변사다리꼴, 직사각형, 정사각형은 항상 원에 내접하는 사각형이다.

02

오른쪽 그림에서 직선 AT가 원 O의 접선일 때, $\angle x$, $\angle y$의 크기를 각각 구하여라.

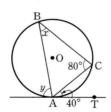

✳ 접선과 현이 이루는 각

(1) 원의 접선과 그 접점을 지나는 현이 이루는 각의 크기는 그 각의 내부에 있는 호에 대한 원주각의 크기가 같다.

즉, $\overleftrightarrow{AT}$가 원의 접선이면 $\angle BAT = \angle BCA$

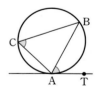

참고 접선이 되기 위한 조건: 위의 그림에서 $\angle BAT = \angle BCA$이면 $\overleftrightarrow{AT}$는 이 원의 접선이다.

(2) 두 원에서 접선과 현이 이루는 각

$\overleftrightarrow{PQ}$가 두 원 O, O'의 공통인 접선이고 점 T가 그 접점일 때, 다음의 각 경우에 대하여 $\overline{AB} /\!/ \overline{CD}$이다.

①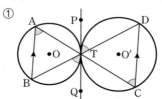

②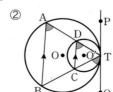

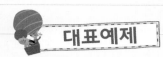

대표예제

01 오른쪽 그림에서 네 점 A, B, C, D가 한 원 위에 있고 ∠DCA=35°, ∠BEC=110°일 때, ∠BAC의 크기를 구하여라.

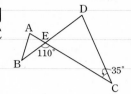

풀이 네 점이 한 원 위에 있으므로 ∠DCA = ∠□ = □°

∠BAC+∠ABD=□°이므로

∠BAC=□°

02 원에 내접하는 사각형에서 마주 보는 대각의 크기의 합은 180°임을 설명하여라.

풀이 오른쪽 그림과 같이 사각형 ABCD가 원 O에 내접하면 원주각과 중심각 사이의 관계에서

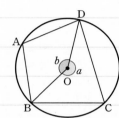

$\angle A = \boxed{}\angle a, \angle C = \boxed{}\angle b$

이때 ∠a+∠b=360°이므로

$\angle A + \angle C = \boxed{}\angle a + \boxed{}\angle b = \boxed{}(\angle a + \angle b)$

$= \boxed{} \times 360° = \boxed{}$

마찬가지 방법으로 ∠B+∠D=□

따라서 원에 내접하는 사각형의 한 쌍의 대각의 크기의 합은 180°이다.

> 한 쌍의 대각의 크기의 합이 180°인 정사각형, 직사각형, 등변사다리꼴은 항상 원에 내접한다.

03 오른쪽 그림과 같이 원에 내접하는 사각형 ABCD에서 변 BC의 연장선 위의 한 점을 E라고 할 때, ∠DCE=∠A임을 설명하여라.

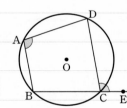

풀이 원에 내접하는 사각형에서 한 쌍의 대각의 크기의 합은 □

이므로 ∠A+∠DCB=□

평각의 크기는 □이므로 ∠DCE+∠DCB=□

∴ ∠DCE=∠A

> **사각형이 원에 내접하기 위한 조건**
> ① 한 쌍의 대각의 크기의 합이 180°인 사각형은 원에 내접한다.
> ② 한 외각의 크기가 그 내각의 마주보는 대각의 크기와 같은 사각형은 원에 내접한다.

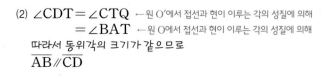

두 원에서 접선과 현이 이루는 각

(1) ∠BAT = ∠BTQ ←원 O에서 접선과 현이 이루는 각의 성질에 의해
　　　　 = ∠DTP (맞꼭지각)
　　　　 = ∠DCT ←원 O'에서 접선과 현이 이루는 각의 성질에 의해
따라서 엇각의 크기가 같으므로
$\overline{AB} /\!/ \overline{CD}$

(2) ∠CDT = ∠CTQ ←원 O'에서 접선과 현이 이루는 각의 성질에 의해
　　　　 = ∠BAT ←원 O에서 접선과 현이 이루는 각의 성질에 의해
따라서 동위각의 크기가 같으므로
$\overline{AB} /\!/ \overline{CD}$

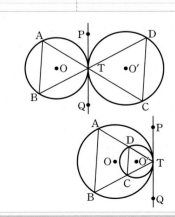

중요도 ☐ 손도 못댐 ☐ 과정 실수 ☐ 틀린 이유:

01 오른쪽 그림에서 □ABCD 가 원 O에 내접할 때, ∠C 의 크기는?

① 100° ② 105°
③ 110° ④ 115°
⑤ 120°

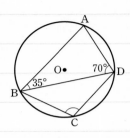

중요도 ☐ 손도 못댐 ☐ 과정 실수 ☐ 틀린 이유:

02 오른쪽 그림에서 □ABCD 가 원 O에 내접할 때, ∠DCE의 크기는?

① 80° ② 81°
③ 82° ④ 83°
⑤ 84°

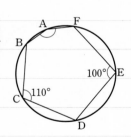

중요도 ☐ 손도 못댐 ☐ 과정 실수 ☐ 틀린 이유:

03 오른쪽 그림과 같이 육각형 ABCDEF가 원에 내접할 때, ∠A의 크기를 구하여라.

중요도 ☐ 손도 못댐 ☐ 과정 실수 ☐ 틀린 이유:

04 오른쪽 그림에서 직선 TA 는 원의 접선일 때, ∠CAT 의 크기는?

① 76° ② 77°
③ 78° ④ 79°
⑤ 80°

중요도 ☐ 손도 못댐 ☐ 과정 실수 ☐ 틀린 이유:

05 오른쪽 그림에서 직선 TA는 원의 접선이고, $\overline{CA}=\overline{CB}$일 때, ∠ABC의 크기는?

① 60° 　② 62°
③ 64° 　④ 66°
⑤ 68°

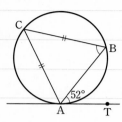

중요도 ☐ 손도 못댐 ☐ 과정 실수 ☐ 틀린 이유:

06 오른쪽 그림과 같은 네 점 A, B, C, D가 한 원 위에 있을 때, ∠x − ∠y의 크기는?

① 5° 　② 10°
③ 15° 　④ 20°
⑤ 25°

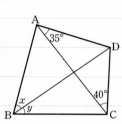

중요도 ☐ 손도 못댐 ☐ 과정 실수 ☐ 틀린 이유:

07 오른쪽 그림과 같이 원 O에 내접하는 □ABCD에서 $\overline{BC}$는 원 O의 지름이고, ∠ADC=120°, $\overline{AB}=3$일 때, 원 O의 넓이를 구하여라.

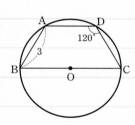

중요도 ☐ 손도 못댐 ☐ 과정 실수 ☐ 틀린 이유:

08 오른쪽 그림과 같이 $\overleftrightarrow{AT}$는 원 O의 접선이고, 점 A는 접점이다.
$\overset{\frown}{AB} : \overset{\frown}{BC} : \overset{\frown}{CA}$ =5 : 4 : 3일 때, ∠BAT의 크기를 구하여라.

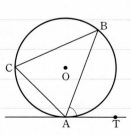

시험에 꼭 나오는 문제

---

01 오른쪽 그림에서 □ABCD는 원에 내접하고, $\overline{AB}=\overline{AC}$일 때, ∠D의 크기는?

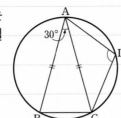

① 100° ② 105°

③ 110° ④ 115°

⑤ 120°

---

02 오른쪽 그림에서 □ABCD가 원 O에 내접할 때, ∠AOC의 크기는?

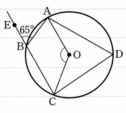

① 100° ② 110°

③ 120° ④ 130°

⑤ 140°

---

03 오른쪽 그림에서 □ABCD가 원에 내접할 때, ∠ABE의 크기는?

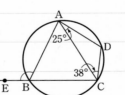

① 113° ② 114°

③ 115° ④ 116°

⑤ 117°

---

04 오른쪽 그림에서 □ABCD가 원에 내접할 때, ∠B의 크기는?

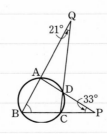

① 57° ② 59°

③ 61° ④ 63°

⑤ 65°

---

05 다음 중 □ABCD가 원에 내접하는 것을 모두 고르면? (정답 2개)

①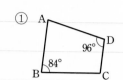

②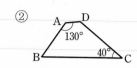

③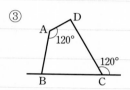

④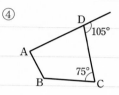

⑤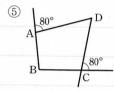

06 오른쪽 그림에서 $\overrightarrow{AT}$는 원 O의 접선일 때, ∠AOB의 크기는?

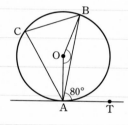

① 150°　② 155°
③ 160°　④ 165°
⑤ 170°

07 오른쪽 그림에서 직선 PQ는 두 원의 접선이고, 점 T는 그 접점일 때, ∠ATB의 크기는?

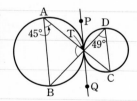

① 80°　② 82°
③ 84°　④ 86°
⑤ 88°

08 오른쪽 그림에서 직선 PQ는 두 원의 접선이고 그 접점이 T이다. $\overline{TC}=\overline{TD}$일 때, ∠CTD의 크기는?

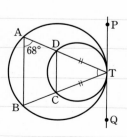

① 40°　② 42°
③ 44°　④ 46°
⑤ 48°

중요도 ☐ 손도 못댐 ☐ 과정 실수 ☐ 틀린 이유:

09 오른쪽 그림과 같이 $\overline{AD}=\overline{BC}$인 사각형 ABCD가 원에 내접할 때, ∠ABD의 크기는?

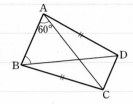

① 50°　　② 55°

③ 60°　　④ 65°

⑤ 70°

중요도 ☐ 손도 못댐 ☐ 과정 실수 ☐ 틀린 이유:

10 오른쪽 그림과 같이 원 O에 내접한 오각형 ABCDE에서 ∠B+∠D=210°일 때, ∠AOE의 크기를 구하면?

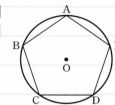

① 40°　　② 50°

③ 60°　　④ 70°

⑤ 80°

중요도 ☐ 손도 못댐 ☐ 과정 실수 ☐ 틀린 이유:

11 오른쪽 그림에서 $\overline{PT}$는 원 O의 접선이고 점 T는 그 접점이다. $\overline{AT}=10$이고, $\tan x=\dfrac{5}{6}$일 때, 원 O의 넓이를 구하여라.

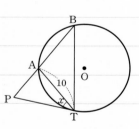

중요도 ☐ 손도 못댐 ☐ 과정 실수 ☐ 틀린 이유:

12 오른쪽 그림에서 두 점 P, Q가 두 원의 교점이고 ∠D=100°일 때, ∠x의 크기는?

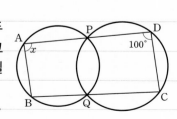

① 60°　　② 75°

③ 80°　　④ 95°

⑤ 100°

13 오른쪽 그림과 같은 네 점 A, B, C, D가 한 원 위에 있을 때, ∠A의 크기는?

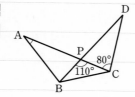

① 25°   ② 30°

③ 35°   ④ 40°

⑤ 45°

중요도 ☐ 손도 못댐 ☐ 과정 실수 ☐ 틀린 이유:

14 오른쪽 그림과 같이 $\overrightarrow{PT}$는 원 O의 접선이고 점 T는 그 접점 이다. ∠PAT=35° 일 때, ∠BPT의 크기를 구하여라.

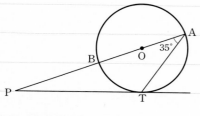

중요도 ☐ 손도 못댐 ☐ 과정 실수 ☐ 틀린 이유:

15 오른쪽 그림에서 직선 PQ 는 두 원의 접선일 때, ∠ATB의 크기는?

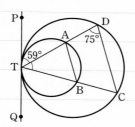

① 40°   ② 42°

③ 44°   ④ 46°

⑤ 48°

중요도 ☐ 손도 못댐 ☐ 과정 실수 ☐ 틀린 이유:

16 오른쪽 그림에서 $\overrightarrow{PT}$는 원 O의 접선일 때, △ATB의 넓이는?

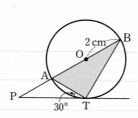

① $\sqrt{3}\ cm^2$ ② $2\ cm^2$

③ $2\sqrt{2}\ cm^2$ ④ $3\ cm^2$

⑤ $2\sqrt{3}\ cm^2$

중요도 ☐ 손도 못댐 ☐ 과정 실수 ☐ 틀린 이유:

01

중요도 ☐ 손도 못댐 ☐ 과정 실수 ☐ 틀린 이유:

오른쪽 그림과 같은 원 O에서 $\overline{AB}$는 지름이고 $\overline{OC} /\!/ \overline{AD}$일 때, $\overset{\frown}{BC}$의 길이는?

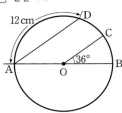

① 3.6 cm ② 4 cm
③ 4.4 cm ④ 4.8 cm
⑤ 5.2 cm

02

중요도 ☐ 손도 못댐 ☐ 과정 실수 ☐ 틀린 이유:

오른쪽 그림과 같은 원 O에서 $\overline{AB}$는 지름이고 $\overline{OD} = \overline{DP} = 4$ cm일 때, $\overset{\frown}{AC}$의 길이는?

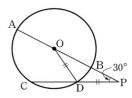

① π cm ② 1.5π cm
③ 2π cm ④ 2.5π cm
⑤ 3π cm

03

중요도 ☐ 손도 못댐 ☐ 과정 실수 ☐ 틀린 이유:

오른쪽 그림과 같은 원 O에서 $\overline{AB} \perp \overline{OH}$일 때, $\overline{OB}$의 길이는?

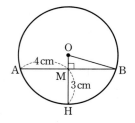

① 4 cm ② $\dfrac{25}{6}$ cm
③ $\dfrac{13}{3}$ cm ④ $\dfrac{9}{2}$ cm
⑤ $\dfrac{14}{3}$ cm

04

중요도 ☐ 손도 못댐 ☐ 과정 실수 ☐ 틀린 이유:

오른쪽 그림에서 $\overset{\frown}{AB}$는 원의 일부분이고 $\overline{CD}$가 $\overline{AB}$를 수직이등분할 때, 이 원의 반지름의 길이는?

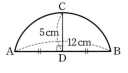

① 6.1 cm ② 6.2 cm
③ 6.3 cm ④ 6.4 cm
⑤ 6.5 cm

05

중요도 ☐ 손도 못댐 ☐ 과정 실수 ☐ 틀린 이유:

오른쪽 그림과 같이 점 O를 중심으로 하는 두 원이 있다. 큰 원의 현 AB가 점 M에서 작은 원에 접할 때, $\overline{AB}$의 길이는?

① $2\sqrt{10}$ cm ② $3\sqrt{10}$ cm
③ $4\sqrt{10}$ cm ④ $5\sqrt{10}$ cm
⑤ $6\sqrt{10}$ cm

06

중요도 ☐ 손도 못댐 ☐ 과정 실수 ☐ 틀린 이유:

오른쪽 그림에서 원 O는 삼각형 ABC의 내접원이고 점 D, E, F는 접점일 때, $\overline{AD}$의 길이는?

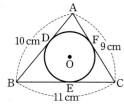

① 3 cm ② 3.5 cm
③ 4 cm ④ 4.5 cm
⑤ 5 cm

07 중요도 ☐ 손도 못댐 ☐ 과정 실수 ☐ 틀린 이유:

오른쪽 그림과 같은 두 원 O, O′이 점 P에서 접할 때, $\overline{CP}$의 길이는?

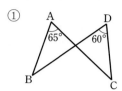

① 3 cm   ② $\sqrt{10}$ cm
③ $\sqrt{11}$ cm   ④ $2\sqrt{3}$ cm
⑤ $\sqrt{13}$ cm

08 중요도 ☐ 손도 못댐 ☐ 과정 실수 ☐ 틀린 이유:

오른쪽 그림과 같은 원 O에서 ∠AEC의 크기는?

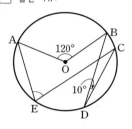

① 70°   ② 75°
③ 80°   ④ 85°
⑤ 90°

09 중요도 ☐ 손도 못댐 ☐ 과정 실수 ☐ 틀린 이유:

오른쪽 그림에서 원 O는 직사각형 ABCD의 세 변과 접하고 $\overline{DE}$는 원 O의 접선일 때, $\overline{BE}$의 길이는?

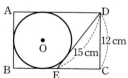

① 6 cm   ② 7 cm   ③ 8 cm
④ 9 cm   ⑤ 10 cm

10 중요도 ☐ 손도 못댐 ☐ 과정 실수 ☐ 틀린 이유:

다음 중 □ABCD가 원에 내접하는 것은?

①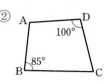

②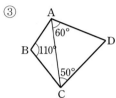

③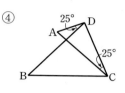

④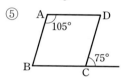

⑤

11 중요도 ☐ 손도 못댐 ☐ 과정 실수 ☐ 틀린 이유:

오른쪽 그림에서 직선 TT′은 원 O의 접선이고 △BCD가 정삼각형일 때, ∠BAT의 크기는?

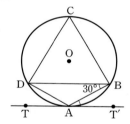

① 20°   ② 25°
③ 30°   ④ 35°
⑤ 40°

12 중요도 ☐ 손도 못댐 ☐ 과정 실수 ☐ 틀린 이유:

오른쪽 그림과 같은 네 점 A, B, C, D가 한 원 위에 있을 때, ∠x+∠y의 크기는?

① 200°   ② 205°
③ 210°   ④ 215°
⑤ 220°

13 중요도 ☐ 손도 못댐 ☐ 과정 실수 ☐ 틀린 이유:

오른쪽 그림과 같은 사각형 ABCD가 원에 내접할 때, ∠ADC의 크기는?

① 100°
② 110°
③ 115°
④ 120°
⑤ 125°

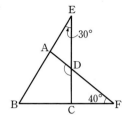

14 중요도 ☐ 손도 못댐 ☐ 과정 실수 ☐ 틀린 이유:

오른쪽 그림에서 직선 BT는 원 O의 접선일 때, ∠x + ∠y의 크기는?

① 130°
② 140°
③ 150°
④ 160°
⑤ 170°

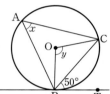

15 중요도 ☐ 손도 못댐 ☐ 과정 실수 ☐ 틀린 이유:

오른쪽 그림과 같이 원 O의 지름인 $\overline{AB}$의 연장선 위에 있는 점 P에서 이 원에 접선을 그어 그 접점을 T라고 할 때, ∠TCP의 크기를 구하여라.

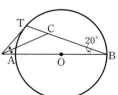

16 중요도 ☐ 손도 못댐 ☐ 과정 실수 ☐ 틀린 이유:

오른쪽 그림에서 직선 AT는 원의 접선이고 ∠ACB의 이등분선과 $\overparen{AB}$의 교점을 D라 할 때, ∠DAT의 크기는?

① 20°
② 25°
③ 30°
④ 35°
⑤ 40°

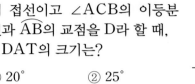

17 중요도 ☐ 손도 못댐 ☐ 과정 실수 ☐ 틀린 이유:

오른쪽 그림과 같이 $\overrightarrow{PA}$와 $\overleftarrow{QC}$는 각각 원 O의 접선이고 점 A와 점 C는 각각 그 접점이다. ∠PAB=50°, ∠BCQ=25°일 때, ∠ABC의 크기를 구하여라.

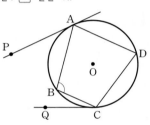

18 중요도 ☐ 손도 못댐 ☐ 과정 실수 ☐ 틀린 이유:

다음 보기에서 항상 원에 내접하는 사각형을 모두 고른 것은?

> **보기**
> ㄱ. 평행사변형 ㄴ. 사다리꼴
> ㄷ. 등변사다리꼴 ㄹ. 직사각형
> ㅁ. 정사각형 ㅂ. 마름모

① ㄱ, ㄷ, ㅁ
② ㄷ, ㄹ, ㅁ
③ ㄴ, ㄷ, ㅁ
④ ㄷ, ㄹ, ㅂ
⑤ ㄱ, ㄴ, ㅂ

19 중요도 ☐ 손도 못댐 ☐ 과정 실수 ☐ 틀린 이유:

오른쪽 그림과 같은 이등변삼각형 ABC가 원 O에 외접할 때, $\overline{OA}$의 길이를 구하여라.

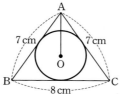

20 중요도 ☐ 손도 못댐 ☐ 과정 실수 ☐ 틀린 이유:

오른쪽 그림에서 $\overrightarrow{AT}$, $\overrightarrow{AT'}$, $\overline{BC}$는 원 O의 접선일 때, △ABC의 둘레의 길이를 구하여라.

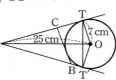

21 중요도 ☐ 손도 못댐 ☐ 과정 실수 ☐ 틀린 이유:

오른쪽 그림과 같이 중심이 O인 두 원에서 $\overline{AB}=\overline{BC}=\overline{CD}=4\,cm$이고 두 원의 반지름의 길이의 합은 8 cm일 때, 작은 원의 넓이를 구하여라.

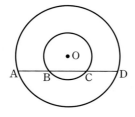

22 중요도 ☐ 손도 못댐 ☐ 과정 실수 ☐ 틀린 이유:

오른쪽 그림에서 직선 PQ는 두 원의 접선일 때, ∠DTC의 크기를 구하여라.

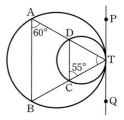

23 중요도 ☐ 손도 못댐 ☐ 과정 실수 ☐ 틀린 이유:

오른쪽 그림과 같이 반지름의 길이가 5인 원 O에 내접하는 삼각형 ABC에서 $\overline{BC}=6$일 때, $\tan A$의 값을 구하여라.

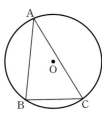

24 중요도 ☐ 손도 못댐 ☐ 과정 실수 ☐ 틀린 이유:

오른쪽 그림에서 점 I는 직각삼각형 ABC의 내심이고 $\overline{AC}=7\,cm$이다. 원 I의 반지름의 길이가 3 cm일 때, $\overline{AB}$의 길이를 구하여라.

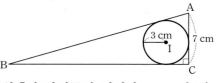

학습목표 • 중앙값, 최빈값, 평균의 의미를 이해하고, 이를 구할 수 있다.

기본 체크

01

다음 자료의 중앙값을 구하여라.

(1) 35, 36, 36, 37, 43
(2) 63, 63, 71, 73, 81, 85

02

다음 자료의 최빈값을 구하여라.

(1) 63, 65, 65, 69, 69, 69
(2) 2, 4, 5, 5, 7, 7, 7, 9, 9

핵심 정리

대푯값

(1) 대푯값: 자료 전체의 특징을 대표적으로 나타낸 값
(2) 대푯값에는 평균, 중앙값, 최빈값 등이 있다.

대푯값의 종류

(1) 평균: 전체 변량의 총합을 변량의 개수로 나눈 값, 즉

$$(평균) = \frac{(변량)의\ 총합}{(변량)의\ 개수}$$

(2) 중앙값: 자료를 작은 값부터 크기순으로 나열할 때 중앙에 위치한 값

① 자료의 개수가 홀수이면 중앙에 있는 자료의 값이 중앙값이다.
② 자료의 개수가 짝수이면 중앙에 있는 두 값의 평균이 중앙값이다.

(3) 최빈값: 자료의 값 중에서 가장 많이 나타나는 값

① 자료의 값 중에서 도수가 가장 큰 값이 한 개 이상 있으면 그 값이 모두 최빈값이다. 즉, 최빈값은 2개 이상일 수도 있다.
② 각 자료의 값의 도수가 모두 같으면 최빈값은 없다.

예 자료 1, 1, 1, 2, 2, 3, 4, 5, 5, 5에서 최빈값은 1과 5이다.

참고 일반적으로 대푯값으로 가장 많이 쓰이는 것은 평균이지만 자료의 값 중에서 매우 크거나 작은 값, 즉 극단적인 값이 있는 경우에는 대푯값으로 평균보다 중앙값이 그 자료의 전체적인 특징을 더 잘 나타낸다.

대표예제

• 정답 및 풀이 22쪽

01 다음 자료의 중앙값을 구하여라.

(1) 380, 500, 30, 440, 510   (2) 35, 19, 33, 21, 66, 29

풀이 (1) 자료를 작은 값부터 크기순으로 나열하면 30, 380, 440, 500, 510이고,

자료의 개수가 [ ]로 [ ]이다.

따라서 중앙값은 중앙에 위치한 값 [ ]이다.

(2) 자료를 작은 값부터 크기순으로 나열하면 19, 21, 29, 33, 35, 66이고,

자료의 개수가 [ ]으로 [ ]이다.

따라서 중앙값은 중앙에 위치한 두 값인 [ ], [ ]의 평균인 $\frac{\boxed{}+\boxed{}}{2}=\boxed{}$

이다.

자료를 작은 값부터 크기순으로 나열하였을 때,
(1) 자료의 개수 n이 홀수이면 $\frac{n+1}{2}$번째 값이 중앙값이다.
(2) 자료의 개수 n이 짝수이면 $\frac{n}{2}$번째와 $\left(\frac{n}{2}+1\right)$번째 값의 평균이 중앙값이다.

02 8개의 변량 4, 5, 32, 10, x, 11, 18, 17의 중앙값이 13일 때, x의 값을 구하여라.

풀이 x를 제외한 나머지 변량을 작은 값부터 크기순으로 나열하면

4, 5, 10, 11, 17, 18, 32

이때 중앙값이 13이므로 x는 [ ]과 [ ] 사이의 수이다.

즉, $\dfrac{[\ ]+x}{2}=13$에서 $x=$ [ ]

> x를 제외한 변량을 크기순으로 나열한 후 x의 위치를 찾는다.

03 오른쪽 표는 재희네 학교 학생 100명의 통학 시간을 조사하여 나타낸 도수분포표이다. 통학 시간의 중앙값과 최빈값을 각각 구하여라.

통학 시간(분)	도수(명)
$0^{\text{이상}} \sim 5^{\text{미만}}$	9
5 $\sim$ 10	17
10 $\sim$ 15	26
15 $\sim$ 20	36
20 $\sim$ 25	12
합계	100

풀이 도수분포표에서 학생 100명의 통학 시간을 작은 값부터 크기순으로 나열하면 중앙에 위치한 50번째와 51번째 학생은 [ ]분 이상 [ ]분 미만인 계급에 속해 있다.

따라서 구하는 중앙값은 이 계급의 계급값인 [ ]분이다.

또, [ ]분 이상 [ ]분 미만인 계급의 도수가 가장 크므로 최빈값은 이 계급의 계급값인 [ ]분이다.

> 자료가 도수분포표로 주어질 때에는 중앙에 위치한 값이 속하는 계급의 계급값을 중앙값으로 정하고, 도수가 가장 큰 계급의 계급값을 최빈값으로 정한다.

04 오른쪽 표는 준희네 반 학생들의 음악 점수를 조사하여 만든 도수분포표이다. 평균을 a점, 중앙값을 b점, 최빈값을 c점이라고 할 때, a, b, c의 값을 구하여라.

음악 점수(점)	도수(명)
$60^{\text{이상}} \sim 70^{\text{미만}}$	3
70 $\sim$ 80	8
80 $\sim$ 90	4
90 $\sim$ 100	5
합계	20

풀이 (평균) $= \dfrac{65 \times 3 + 75 \times 8 + 85 \times 4 + 95 \times 5}{[\ ]}$

$= [\ ]$(점)

도수분포표에서 작은 값부터 크기순으로 10번째와 11번째는 모두 [ ]점 이상 [ ]점 미만인 계급에 속해 있으므로 중앙값은 이 계급의 계급값인 $\dfrac{70+80}{2}=[\ ]$(점)이다.

또, 도수가 가장 큰 계급은 [ ]점 이상 [ ]점 미만인 계급이므로 최빈값은 이 계급의 계급값인 [ ]점이다.

$\therefore a=[\ ]$, $b=[\ ]$, $c=[\ ]$

> 도수분포표에서의 평균은 (계급값)×(도수)의 총합을 도수의 총합으로 나눈 값이다.

대푯값의 성질

(1) 평균: 가장 많이 사용되는 대푯값이고, 자료의 값 중에서 매우 크거나 매우 작은 값의 영향을 받는다.

(2) 중앙값: 극단적인 값의 영향을 덜 받으며, 자료의 모든 정보를 활용한다고 볼 수 없다.

(3) 최빈값: 자료의 개수가 많은 경우에 구하기 쉽고, 숫자로 나타내지 못하는 자료의 경우에도 구할 수 있다.

어떤 교과서에나 나오는 문제

01 다음 설명 중 옳지 <u>않은</u> 것은?

① 자료 전체의 특징을 대표하는 값을 대푯값이라고 한다.

② 대푯값에는 평균, 중앙값, 최빈값 등이 있다.

③ 자료를 작은 값부터 크기순으로 나열할 때 중앙에 오는 값을 중앙값이라고 한다.

④ 중앙값은 항상 주어진 자료 중에 존재한다.

⑤ 변량 중에서 도수가 가장 큰 값을 최빈값이라고 한다.

02 4개의 변량 25, 9, 12, a의 중앙값이 17일 때, 이 변량들의 평균을 구하여라.

03 다음 중 주어진 자료의 중앙값과 최빈값이 서로 같은 것은?

① 1, 4, 2, 5, 3, 8 　　② 6, 4, 7, 2, 6, 1

③ 3, 4, 3, 4, 5, 1 　　④ 7, 8, 2, 5, 4, 1, 3

⑤ 8, 2, 4, 4, 4, 1, 1

04 다음 자료는 예림이네 반 학생 7명의 턱걸이 횟수를 조사하여 나타낸 것이다. 평균과 최빈값이 같을 때, x의 값을 구하여라.

(단위: 회)

12, 9, x, 9, 9, 8, 7

• 정답 및 풀이 22쪽

05 변량 5개를 크기순으로 나열하였더니 8, 10, 11, 13, x이었다. 이 자료의 평균과 중앙값이 같을 때, x의 값을 구하여라.

중요도 ☐ 손도 못댐 ☐ 과정 실수 ☐ 틀린 이유:

06 다음은 유림네 반 학생 20명의 미술 수행 평가 점수를 조사하여 나타낸 것이다. 평균을 a점, 최빈값을 b점, 중앙값을 c점이라고 할 때, $a+b+c$의 값을 구하여라.

중요도 ☐ 손도 못댐 ☐ 과정 실수 ☐ 틀린 이유:

점수(점)	6	7	8	9	10	합계
학생수(명)	2	3	5	x	7	20

07 5개의 변량 x_1, x_2, x_3, x_4, x_5의 평균이 10일 때, 변량 $2x_1+1$, $2x_2+2$, $2x_3+3$, $2x_4+4$, $2x_5+5$의 평균은?

중요도 ☐ 손도 못댐 ☐ 과정 실수 ☐ 틀린 이유:

① 21　　　　② 22　　　　③ 23
④ 24　　　　⑤ 25

08 오른쪽 표는 수민이네 반 학생 30명의 국어 성적을 조사하여 나타낸 도수분포표이다. 국어 성적의 중앙값과 최빈값을 각각 구하여라.

중요도 ☐ 손도 못댐 ☐ 과정 실수 ☐ 틀린 이유:

성적(점)	학생 수(명)
40^{이상} ~ 50^{미만}	3
50 ~ 60	2
60 ~ 70	5
70 ~ 80	8
80 ~ 90	11
90 ~ 100	1
합계	30

시험에 꼭 나오는 문제

01 중요도 ☐ 손도 못댐 ☐ 과정 실수 ☐ 틀린 이유:

다음은 어느 날 지민이네 반 학생 15명이 등교하는 데 걸린 시간을 조사하여 나타낸 것이다. 등교하는 데 걸린 시간의 중앙값과 최빈값을 구하여라.

(단위: 분)

15 21 8 3 32 12 21 16
26 15 16 5 21 14 32

[02~03] 다음 표는 민서와 재희가 5회에 걸쳐 윗몸일으키기를 한 횟수를 조사하여 나타낸 것이다. 물음에 답하여라.

중요도 ☐ 손도 못댐 ☐ 과정 실수 ☐ 틀린 이유:

민서(회)	26	28	36	34	26
재희(회)	32	22	30	24	32

02 두 학생의 윗몸일으키기 횟수의 평균을 각각 구한 후, 어느 학생의 평균이 더 큰지 구하여라.

---

03 중요도 ☐ 손도 못댐 ☐ 과정 실수 ☐ 틀린 이유:

두 학생의 윗몸일으키기 횟수의 중앙값을 각각 구한 후, 어느 학생의 중앙값이 더 큰지 구하여라.

---

04 중요도 ☐ 손도 못댐 ☐ 과정 실수 ☐ 틀린 이유:

세 수 a, b, c의 평균을 M이라고 할 때, 세 수 $a+3$, $b+3$, $c+3$의 평균을 M으로 나타내어라.

05 보기에서 옳은 것을 모두 고른 것은?

중요도 ☐ 손도 못댐 ☐ 과정 실수 ☐ 틀린 이유:

> **보기**
>
> ㄱ. 자료 전체의 중심적인 경향이나 특징을 대표적인 하나의 수로 나타낸 값을 대푯값이라고 한다.
> ㄴ. 자료를 작은 값부터 차례대로 크기순으로 나열하였을 때, 가운데 위치한 값을 중앙값이라고 한다.
> ㄷ. 자료의 값 중에서 가장 많이 나타나는 값을 평균이라고 한다.

① ㄱ ② ㄴ ③ ㄱ, ㄴ
④ ㄱ, ㄷ ⑤ ㄱ, ㄴ, ㄷ

06 학생 16명이 1분 동안 줄넘기를 한 횟수를 작은 값부터 차례로 나열할 때, 9번째 학생의 횟수는 41회이고, 중앙값은 39회이다. 줄넘기 횟수가 39회인 학생 1명을 추가하여 17명의 줄넘기 횟수의 중앙값을 구하여라.

중요도 ☐ 손도 못댐 ☐ 과정 실수 ☐ 틀린 이유:

07 다음 중 주어진 자료의 대푯값으로 평균을 사용하기에 적절하지 <u>않은</u> 것은?

중요도 ☐ 손도 못댐 ☐ 과정 실수 ☐ 틀린 이유:

① 10, 11, 12, 13, 14
② 8, 8, 8, 8, 8
③ 10, 20, 30, 40, 50
④ 2, 2, 3, 3, 1000
⑤ 10, 10, 10, 20, 20

08 변량 a, b, c, 8, 9, 9, 12, 14의 중앙값이 11, 최빈값이 12일 때, $a+b+c$의 값을 구하여라.

중요도 ☐ 손도 못댐 ☐ 과정 실수 ☐ 틀린 이유:

09 오른쪽 표는 현서네 반 학생 30명의 좋아하는 과일을 조사하여 나타낸 것이다. 이 자료에 대한 최빈값을 구하여라.

과일	학생 수(명)
바나나	5
사과	7
딸기	8
수박	10

10 오른쪽 표는 예림이네 반 학생들의 국어 점수를 조사하여 만든 도수분포표이다. 국어 점수의 중앙값을 a점, 평균을 b점이라고 할 때, $a-b$의 값은?

성적(점)	학생 수(명)
$50^{이상} \sim 60^{미만}$	3
$60 \sim 70$	6
$70 \sim 80$	10
$80 \sim 90$	7
$90 \sim 100$	4
합계	30

① -2 ② -1 ③ 0
④ 1 ⑤ 2

11 8개의 변량 6, 14, 17, 3, x, 5, 16, 13의 중앙값이 11일 때, x의 값을 구하여라.

12 네 수 12, 8, 7, a의 평균이 11일 때, 네 수의 중앙값은?

① 8 ② 9 ③ 10
④ 11 ⑤ 12

중요도 [ ] 손도 못댐 [ ] 과정 실수 [ ] 틀린 이유:

13 다음 두 조건을 모두 만족시키는 자연수 a의 값을 구하여라.

> (가) 변량 19, 12, 15, a, 24의 중앙값은 19 이다.
> (나) 변량 14, 19, a, 21, 22, 28의 중앙값은 20이다.

중요도 [ ] 손도 못댐 [ ] 과정 실수 [ ] 틀린 이유:

14 오른쪽 표는 20명의 학생들의 일주일 동안의 TV 시청 시간을 조사한 도수분포표이다. TV 시청 시간의 대푯값으로서 평균이 5시간일 때, $A-B$의 값은?

시청 시간(시간)	학생 수(명)
1 이상 ~ 3 미만	4
3 ~ 5	8
5 ~ 7	A
7 ~ 9	B
9 ~ 11	2
합계	20

① -2 ② -1 ③ 0
④ 1 ⑤ 2

중요도 [ ] 손도 못댐 [ ] 과정 실수 [ ] 틀린 이유:

15 유림이는 네 과목의 시험에서 각각 86점, 89점, 91점, x점을 받았다. 시험 점수의 중앙값은 90점이고 평균은 90점 이하라고 할 때, x가 될 수 있는 값을 모두 구하여라. (단, x는 자연수이다.)

중요도 [ ] 손도 못댐 [ ] 과정 실수 [ ] 틀린 이유:

16 오른쪽 도수분포표에서 평균이 62점일 때, 최빈값을 구하여라.

점수(점)	도수(명)
40	2
50	a
60	b
70	6
80	3
합계	20

학습목표 • 분산과 표준편차의 의미를 이해하고, 이를 구할 수 있다.

기본 체크

01

다음 ☐ 안에 알맞은 것을 써넣어라.

(1) 자료들이 흩어져 있는 정도를 하나의 수로 나타낸 값을 ☐라고 한다.

(2) 어떤 자료의 각 변량에서 평균을 뺀 값을 그 변량의 ☐라고 한다.

(3) 주어진 자료에서 각 변량의 편차를 제곱한 값들의 평균을 ☐이라 하고, 분산의 음이 아닌 제곱근을 ☐라고 한다.

02

다음 표는 4회에 걸친 수학 점수의 편차를 나타낸 것이다. x의 값을 구하여라.

횟수	1	2	3	4
편차	-1	1	x	3

핵심 정리

산포도
산포도에는 여러 가지가 있으나 분산과 표준편차가 가장 많이 쓰인다.

(1) 산포도: 대푯값을 중심으로 자료가 흩어져 있는 정도를 하나의 수로 나타낸 값

(2) 편차: 어떤 자료의 각 변량에서 평균을 뺀 값, 즉
편차를 구하려면 먼저 평균을 구해야 한다.
$$(편차) = (변량) - (평균)$$

① 편차의 총합은 항상 0이다.

② 편차의 절댓값이 클수록 변량은 평균에서 멀리 떨어져 있고, 편차의 절댓값이 작을수록 변량은 평균 가까이에 있다.

참고 산포도가 크면 자료들이 대푯값으로부터 멀리 흩어져 있고, 산포도가 작으면 자료들이 대푯값 주위에 밀집되어 있다.

분산과 표준편차

(1) 분산: 어떤 자료의 편차의 제곱의 평균, 즉
$$(분산) = \frac{(편차)^2의\ 총합}{(변량)의\ 개수}$$

(2) 표준편차: 분산의 음이 아닌 제곱근, 즉
$$(표준편차) = \sqrt{(분산)}$$

주의 자료의 분산과 표준편차가 작을수록 변량은 평균 가까이에 밀집되어 있음을 뜻하므로 분포 상태가 고르다고 할 수 있다.

참고 $(분산) = \frac{(변량)^2의\ 총합}{(변량)의\ 개수} - (평균)^2$

대표예제

• 정답 및 풀이 24쪽

01

다음 표는 A, B, C, D, E 5명의 학생의 키의 편차를 나타낸 것이다. 학생 A의 키가 165 cm일 때, 학생 E의 키를 구하여라.

학생	A	B	C	D	E
편차	-3	1	-2	0	x

풀이 편차의 합은 ☐이므로 $-3+1-2+0+x=$ ☐

∴ $x=$ ☐

학생 A의 키가 165 cm이고 편차가 -3이므로 평균은 ☐ cm이다.

따라서 학생 E의 편차가 ☐이고, 평균이 ☐ cm이므로 학생 E의 키는 ☐ cm 이다.

평균보다 큰 변량의 편차는 양수이고, 평균보다 작은 변량의 편차는 음수이다.

02 다음은 야구 경기에서 어떤 투수가 한 타자를 상대하며 던진 5개의 공의 속력을 조사한 자료이다. 공의 속력의 평균, 분산, 표준편차를 각각 구하여라.

(단위: km/시)

136	137	135	139	143

풀이 $(평균) = \dfrac{136+137+135+139+143}{5} = \dfrac{690}{5} = 138(km/시)$

각 변량의 편차와 편차의 제곱을 구하면

변량	136	137	135	139	143	합계
편차	☐	☐	☐	☐	☐	☐
$(편차)^2$	☐	☐	☐	☐	☐	☐

따라서 분산과 표준편차를 구하면

$(분산) = \dfrac{\boxed{}}{5} = \boxed{}$, $(표준편차) = \sqrt{(분산)} = \sqrt{\boxed{}} = \boxed{}(km/시)$

- $(편차) = (변량) - (평균)$
- $(분산) = \dfrac{(편차)^2의\ 총합}{(변량)의\ 개수}$
- $(표준편차) = \sqrt{(분산)}$

03 오른쪽 표는 40가지 식품의 100 g당 들어 있는 비타민C의 양을 조사하여 나타낸 도수분포표이다. 비타민C의 양의 분산과 표준편차를 구하여라.

비타민C(mg)	도수(개)
$0^{이상} \sim 10^{미만}$	6
10 ~20	5
20 ~30	10
30 ~40	6
40 ~50	8
50 ~60	5
합계	40

풀이 다음 표에서 평균은 $\dfrac{\boxed{}}{40} = \boxed{}(mg)$

비타민C(mg)	도수(개)	계급값	(계급값)×(도수)	편차	$(편차)^2 \times (도수)$
$0^{이상} \sim 10^{미만}$	6	5	$5 \times 6 = 30$	☐	$(\boxed{})^2 \times 6 = \boxed{}$
10 ~20	5	15	$15 \times 5 = 75$	☐	$(\boxed{})^2 \times 5 = \boxed{}$
20 ~30	10	25	$25 \times 10 = 250$	☐	$(\boxed{})^2 \times 10 = \boxed{}$
30 ~40	6	35	$35 \times 6 = 210$	☐	$\boxed{}^2 \times 6 = \boxed{}$
40 ~50	8	45	$45 \times 8 = 360$	☐	$\boxed{}^2 \times 8 = \boxed{}$
50 ~60	5	55	$55 \times 5 = 275$	☐	$\boxed{}^2 \times 5 = \boxed{}$
합계	40		☐	☐	☐

위의 표에서 분산과 표준편차를 구하면

$(분산) = \dfrac{\boxed{}}{40} = \boxed{}$, $(표준편차) = \boxed{}(mg)$

표준편차는 주어진 자료와 같은 단위를 쓰고, 분산은 단위를 쓰지 않는다.

도수분포표에서의 분산과 표준편차

도수분포표로 주어진 자료의 표준편차는 다음과 같은 순서로 구한다.
(i) 도수분포표에서 평균을 구한다.
(ii) 평균을 이용하여 각 계급에서 편차, $(편차)^2 \times (도수)$를 차례로 구한다.
(iii) $(편차)^2 \times (도수)$의 총합을 $(도수)$의 총합으로 나누어 분산을 구한다.
(iv) 분산의 양의 제곱근을 구한다.

01 학생 5명의 몸무게에 대한 편차가 다음과 같을 때, x의 값은?

> $$-2, 4, x, -3, 5$$

① -4 ② -2 ③ 1
④ 2 ⑤ 4

02 다음 표는 학생 A, B, C, D, E 5명의 줄넘기를 한 횟수의 편차를 나타낸 것이다. 학생 5명의 줄넘기 횟수의 평균이 180회일 때, 학생 D가 줄넘기를 한 횟수를 구하여라.

학생	A	B	C	D	E
편차(회)	3	-10	7	x	-5

03 다음 표는 민서의 5회에 걸친 국어 성적의 편차를 나타낸 것이다. 국어 성적의 표준편차를 구하여라.

(단위: 점)

1회	2회	3회	4회	5회
-2	1	2	0	1

04 다음 표는 학생 20명의 수학 성적에 대한 편차와 도수를 나타낸 것이다. 이 학생들의 수학 성적에 대한 표준편차를 구하여라.

편차(점)	-2	-1	-3	1	2	3
도수(명)	2	5	6	4	2	1

05 학생 4명의 음악 수행 평가 점수가 a, b, c, d이다. 이 점수의 평균이 9이고 분산이 5일 때, a^2, b^2, c^2, d^2의 평균을 구하여라.

06 변량 5개의 편차가 각각 -3, -5, a, b, 6이고, 표준편차가 4일 때, ab의 값은?

① -3 ② -1 ③ 1
④ 3   ⑤ 5

07 0이 아닌 5개의 변량 1, 3, x, 4, y의 평균이 5, 분산이 9.2일 때, xy의 값은?

① 40   ② 48   ③ 56
④ 64   ⑤ 72

08 아래 표는 유림이네 반 학생 전체의 국어와 영어 성적의 표준편차를 나타낸 것이다. 다음 중 옳은 것은?

과목	국어	영어
평균(점)	72	72
표준편차(점)	$2\sqrt{6}$	5

① 영어 성적이 국어 성적보다 더 우수하다.
② 국어 성적이 영어 성적보다 더 우수하다.
③ 어느 과목이 성적이 더 고른지 알 수 없다.
④ 국어 성적이 영어 성적보다 더 고르다.
⑤ 영어 성적이 국어 성적보다 더 고르다.

01 다음 중 옳지 <u>않은</u> 것은?

① 편차의 합은 항상 0이다.
② 편차의 제곱의 합을 자료의 개수로 나눈 것이 분산이다.
③ 분산이 작을수록 변량은 평균 주위에 모여 있다.
④ 편차는 자료 전체의 특징을 하나의 수로 나타낸 값이다.
⑤ 분산은 자료가 평균으로부터 얼마나 흩어져 있는지 정도를 나타내는 값이다.

02 다음 중 옳지 <u>않은</u> 것은?

① 분산이 커질수록 표준편차는 커진다.
② 편차의 제곱의 평균을 분산이라고 한다.
③ 표준편차가 같은 두 집단은 평균도 같다.
④ 자료들이 대푯값 주위에 밀집되어 있으면 산포도가 작다.
⑤ 편차의 절댓값이 작을수록 그 변량은 평균에 가깝다.

03 다음 표는 A, B, C, D, E, F 6명의 수학 성적의 평균이 67일 때의 편차를 나타낸 것이다. E의 성적을 구하여라.

학생	A	B	C	D	E	F
편차(점)	6	-3	-2	8	x	-4

04 다음 표는 야구선수 5명이 한 달 동안 성공한 도루 개수를 조사하여 나타낸 것이다. 도루 개수의 표준편차는?

선수	A	B	C	D	E
도루(개)	5	3	7	9	6

① 1개   ② 2개   ③ 3개
④ 4개   ⑤ 5개

05 준희의 1분 동안의 맥박 수를 5회 측정한 결과가 다음과 같을 때, 이 자료의 표준편차를 구하여라.

(단위: 회)

67, 73, 75, 69, 76

06 오른쪽 도수분포표는 학생 24명의 일주일간의 인터넷 사용 시간을 나타낸 것이다. 인터넷 사용 시간의 표준편차를 구하여라.

사용 시간(시간)	도수(명)
$0^{이상} \sim 2^{미만}$	2
2 ~ 4	5
4 ~ 6	9
6 ~ 8	7
8 ~ 10	1
합계	24

07 다음 표는 재희네 반 학생 10명의 과학 수행 평가 성적을 나타낸 것이다. 이 자료의 분산은?

성적(점)	6	7	8	합계
도수(명)	3	4	3	10

① 0.6　　　② 0.9　　　③ $\sqrt{0.6}$
④ 6　　　⑤ 60

08 오른쪽 표는 학생 10명의 국어 성적에 대한 도수분포표이다. 이 자료의 표준편차는?

국어 성적(점)	도수(명)
$60^{이상} \sim 70^{미만}$	2
70 ~ 80	6
80 ~ 90	2
합계	10

① 2점　　　② 4점　　　③ $2\sqrt{10}$점
④ $10\sqrt{2}$점　　　⑤ 40점

09 중요도 ☐ 손도 못댐 ☐ 과정 실수 ☐ 틀린 이유:

아래 표는 A, B, C, D, E 5명의 학생의 수학 성적에 대한 편차이다. 〈보기〉에서 옳은 것을 모두 고른 것은?

학생	A	B	C	D	E
편차(점)	2	−1	−2	0	1

보기

ㄱ. D의 점수는 평균 점수와 같다.
ㄴ. A와 B의 점수 차는 1점이다.
ㄷ. 표준편차는 $\sqrt{2}$점이다.
ㄹ. 점수가 가장 낮은 학생은 A이다.

① ㄱ, ㄴ   ② ㄱ, ㄷ   ③ ㄱ, ㄹ
④ ㄱ, ㄴ, ㄷ   ⑤ ㄴ, ㄷ, ㄹ

---

10 중요도 ☐ 손도 못댐 ☐ 과정 실수 ☐ 틀린 이유:

오른쪽 히스토그램은 준희네 반 학생 10명의 일주일 동안의 도서관 이용 시간을 조사하여 나타낸 것이다. 이 자료의 분산을 구하여라.

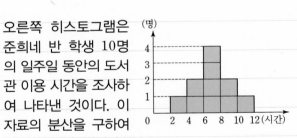

---

11 중요도 ☐ 손도 못댐 ☐ 과정 실수 ☐ 틀린 이유:

6개의 변량 2, x, y, 8, 5, 10의 평균이 6이고 분산이 7일 때, $x^2 + y^2$의 값은?

① 57   ② 61   ③ 65
④ 69   ⑤ 73

12 아래 표는 A반과 B반의 수학 점수를 조사하여 나타낸 것이다. 〈보기〉에서 옳은 것을 모두 고른 것은?

점수(점)	A반 학생 수(명)	B반 학생 수(명)
100	3	0
90	5	5
80	6	8
70	7	10
60	7	7
50	3	4
40	4	1
합계	35	35

보기

ㄱ. A반과 B반의 평균은 같다.
ㄴ. A반과 B반의 편차의 합은 같다.
ㄷ. A반의 표준편차가 B반의 표준편차보다 작다.

① ㄱ ② ㄱ, ㄴ ③ ㄱ, ㄷ
④ ㄴ, ㄷ ⑤ ㄱ, ㄴ, ㄷ

13 4개의 수 a, b, c, d의 평균이 80이고, 표준편차가 5일 때, $a+2$, $b+2$, $c+2$, $d+2$의 평균과 표준편차를 구하여라.

14 다음 표는 A, B 두 반의 영어 성적에 대한 평균과 표준편차를 조사한 것이다. 두 반 전체 학생 30명의 영어 성적의 표준편차를 구하여라.

반	A	B
학생 수(명)	20	10
평균(점)	7	7
표준편차(점)	2	$\sqrt{7}$

09 산점도와 상관관계

학습목표 · 산점도를 보고 두 변량 사이의 관계를 설명할 수 있다.

기본 체크

[01~03] 〈보기〉에서 물음에 맞는 것을 골라 써라.

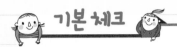
보기
① 산의 해발고도와 기온
② 키와 시력
③ 물건의 가격과 판매량
④ 책의 쪽수와 판매 가격
⑤ 겨울철 실내 온도와 난방요금

01
양의 상관관계에 있는 것은?

02
음의 상관관계에 있는 것은?

03
상관관계가 없는 것은?

핵심 정리

산점도
두 변량 x, y 사이의 관계를 알기 위해 순서쌍 (x, y)를 좌표평면에 점으로 나타낸 그림

상관관계
두 변량 x, y에 대하여 x의 값이 변함에 따라 y의 값이 변하는 경향이 있을 때, x, y의 관계

(1) 양의 상관관계

참고 점들이 한 직선 가까이에 모여 있을수록 상관관계가 강하다고 하고, 한 직선에서 멀리 흩어져 있을수록 상관관계가 약하다고 한다.
그러므로
①은 ②에 비해 양의 상관관계가 강하고, ③은 ④에 비해 음의 상관관계가 강하다.

(2) 음의 상관관계

(3) 상관관계가 없다.

대표예제

· 정답 및 풀이 27쪽

01 다음 표는 어느 도시에서 6개월 동안 측정한 월평균 미세먼지 농도와 초미세 먼지 농도에 관한 표이다. 표를 보고 물음에 답하여라.

농도＼월	1월	2월	3월	4월	5월	6월
미세 먼지 농도($\mu g/m^3$)	60	65	45	25	30	15
초미세 먼지 농도($\mu g/m^3$)	45	50	40	20	25	10

(1) 표를 보고 산점도를 그려라.

초미세
먼지
농도
(μg/m^3)
50
45
40
35
30
25
20
15
10
O 10 15 20 25 30 35 40 45 50 55 60 65
미세먼지농도(μg/m^3)

(2) 미세먼지 농도가 35μg/m^{3}이상인 달은 □월, □월, □월이다.

(3) 미세먼지 농도가 35μg/m^{3}이상인 달은 전체의 몇 %인지 구하여라.

풀이 미세먼지 농도가 35μg/m^{3}이상인 달은 전체 □달 가운데 □달이므로

$$\frac{\square}{\square} \times 100 = \boxed{} \ (\%)$$

(4) 초미세먼지 농도가 40μg/m^3 미만인 달은 전체의 몇 %인지 구하여라.

풀이 초미세먼지 농도가 40μg/m^3 미만인 달은 □월, □월, □월이므로

$$\frac{\square}{\square} \times 100 = \boxed{} \ (\%)$$

(5) 미세먼지 농도와 초미세먼지 사이에는 대체로 [양 / 음]의 상관관계가 있다.

02 다음은 어느 반 학생 20명의 중간고사와 기말고사의 수학 성적에 대한 산점도이다.

기말100
(점) 90
80
70
60
50
40
O 40 50 60 70 80 90 100
중간(점)

(1) 중간고사와 기말고사 성적이 같은 학생은 전체의 몇 %인지 구하여라.

풀이 중간고사 점수와 기말고사 점수가 같은 학생은 모두

□명이므로 $\dfrac{\square}{20} \times 100 = \boxed{} \ (\%)$

(2) 기말고사보다 중간고사를 더 잘 본 학생은 전체의 몇 %인지 구하여라.

풀이 중간고사 점수가 더 높은 학생은 모두 □명이므로 $\dfrac{\square}{20} \times 100 = \boxed{} \ (\%)$

y
$y=x$
$y>x$
$y<x$
O x

① $y=x$의 그래프
: 중간고사 점수와 기말고사 점수가 같음.
② $y>x$
: 기말 점수>중간 점수
③ $y<x$
: 기말 점수<중간 점수

산점도에서 점의 개수 읽기

(1) 대각선을 이용
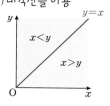

(2) 가로선, 세로선을 이용
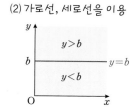
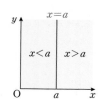

어떤 교과서에나 나오는 문제

[01~04] 다음 표는 10일 동안의 최고 기온과 그 기간에 어느 마트에서 판매한 막대 아이스크림의 개수를 일별로 조사하여 나타낸 것이다. 물음에 답하여라.

기온(℃)	31	33	32	34	35	36	34	33	32	35
판매량(개)	30	45	45	40	45	50	45	40	35	50

중요도 ☐ 손도 못댐 ☐ 과정 실수 ☐ 틀린 이유:

01 최고 기온과 아이스크림 판매량에 대한 산점도를 그려라.

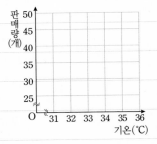

중요도 ☐ 손도 못댐 ☐ 과정 실수 ☐ 틀린 이유:

02 기온과 막대 아이스크림 판매량 사이의 상관관계를 말하여라.

중요도 ☐ 손도 못댐 ☐ 과정 실수 ☐ 틀린 이유:

03 최고 기온이 31 ℃ 이상 33 ℃ 이하일 때의 막대 아이스크림 판매량의 평균을 구하여라.

중요도 ☐ 손도 못댐 ☐ 과정 실수 ☐ 틀린 이유:

04 막대 아이스크림을 40개 이상 50개 이하로 판 날은 조사 기간의 몇 %인지 구하여라.

중요도 ☐ 손도 못댐 ☐ 과정 실수 ☐ 틀린 이유:

05 오른쪽 그림은 어느 반 학생 20명의 수학 성적과 과학 성적에 대한 산점도이다. 다음 중 옳지 않은 것은? (정답 2개)

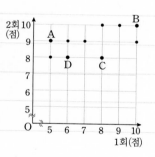

① C 학생은 수학 점수에 비해 과학 점수가 높다.
② 수학 성적과 과학 성적 사이에는 음의 상관관계가 있다.
③ A 학생은 D 학생보다 수학 성적이 우수하다.
④ 과학 성적보다 수학 성적이 우수한 학생은 전체의 30%이다.
⑤ 과학 성적이 90점 이상인 학생들의 수학 성적의 평균은 80점이다.

중요도 ☐ 손도 못댐 ☐ 과정 실수 ☐ 틀린 이유:

06 오른쪽 그림은 어느 양궁 대회의 1회와 2회 경기에서 선수 10명이 득점한 기록에 대한 산점도이다. 다음 중 옳은 것은?

① 선수 10명에 대한 1회 경기의 평균 점수는 7.6점이다.
② D 선수의 1회 점수는 2회 경기의 평균 점수보다 높다.
③ 두 경기에서 A 선수의 평균 점수가 C 선수의 평균 점수보다 높다.
④ 두 경기의 평균이 높은 순서대로 순위를 매기면, 4위의 평균은 9점이다.
⑤ 2회 경기보다 1회 경기에 더 좋은 기록을 낸 선수는 전체의 20%이다.

시험에 꼭 나오는 문제

중요도 ☐ 손도 못댐 ☐ 과정 실수 ☐ 틀린 이유:

01 오른쪽 그림은 어느 학급의 키와 몸무게를 조사하여 나타낸 산점도이다. 옳지 **않은** 것은?

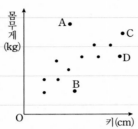

① 몸무게와 키 사이에는 양의 상관관계가 있다.
② A는 키에 비해 몸무게가 많이 나간다.
③ D는 키에 비해 몸무게가 적게 나간다.
④ B는 C보다 키가 크다.
⑤ B보다 몸무게가 적게 나가는 학생이 있다.

중요도 ☐ 손도 못댐 ☐ 과정 실수 ☐ 틀린 이유:

02 오른쪽 그림은 학생 15명의 미술 실기 점수와 필기 점수에 대한 산점도이다. 옳은 것을 모두 고르면?
   (정답 2개)

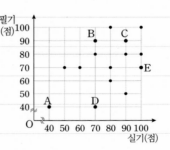

① 학생 15명의 실기 점수의 평균은 78점이다.
② 필기 점수가 실기 점수보다 높은 학생 수가 필기 점수보다 실기 점수가 높은 학생 수보다 많다.
③ 실기 점수가 80점 이상인 학생 가운데 E의 필기 점수가 가장 낮다.
④ B 학생은 C 학생에 비해 필기 점수가 높다.
⑤ 필기와 실기 점수의 평균이 높은 순서대로 등수를 매길 때, 7등의 평균은 80점이다.

중요도 ☐ 손도 못댐 ☐ 과정 실수 ☐ 틀린 이유:

03 오른쪽 그림은 어느 반 학생 16명의 국어 성적과 영어 성적에 대한 산점도이다. 옳은 것을 모두 고르면? (정답 2개)

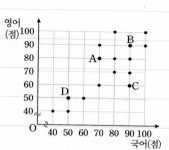

① 국어 점수와 영어 점수가 모두 80점 이상인 학생은 전체의 36%이다.

② 영어 점수가 60점 이하인 학생들의 국어 점수의 평균은 60점이다.

③ 두 과목에 대한 C 학생의 평균이 A 학생의 평균보다 높다.

④ D 학생은 영어 점수에 비해 국어 점수가 높다.

⑤ 두 과목에 대한 평균이 85점 이상인 학생들의 국어 점수의 평균은 92점이다.

중요도 ☐ 손도 못댐 ☐ 과정 실수 ☐ 틀린 이유:

04 오른쪽 그림은 어느 학교 3학년 학생들의 키와 앉은키에 대한 산점도이다. 다음 중 옳지 <u>않은</u> 것은?

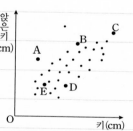

① 키가 작을 수록 앉은 키도 작은 경향을 보인다.

② C는 키와 앉은 키가 모두 큰 편이다.

③ D는 키에 비해 앉은 키가 작다.

④ E는 B보다 앉은 키가 크다.

⑤ A는 키에 비해 앉은 키가 크다.

중요도 ☐ 손도 못댐 ☐ 과정 실수 ☐ 틀린 이유:

05 오른쪽 그림은 어느 반 학생 20명의 영어 성적과 국어 성적에 대한 산점도이다. 영어 성적이 국어 성적보다 높은 학생은 전체의 몇 %인지 구하여라.

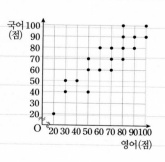

06 오른쪽 그림은 어느 반 학생 16명의 음악의 수행 평가 점수와 지필고사 점수에 대한 산점도이다. 수행평가 점수가 80점 이상인 학생들의 지필고사 점수의 평균을 구하여라. (단, 나누어 떨어지지 않으면 분수로 나타낸다.)

07 오른쪽 그림은 어느 학교 3학년 학생들의 일년 동안의 독서량과 국어 성적에 대한 산점도이다. 옳은 것을 모두 고르면?

(정답 2개)

① 국어 성적과 독서량 사이에는 음의 상관관계가 있다.
② D는 독서량에 비해 국어 성적이 높다.
③ C는 A보다 책을 더 많이 읽었다.
④ D는 E보다 국어 성적이 높다.
⑤ 책을 많이 읽을 수록 국어 점수가 높은 경향을 보인다.

08 오른쪽 그림은 현서네 반 학생 15명의 중간고사와 기말고사의 수학 성적에 대한 산점도이다. 다음 중 옳지 <u>않은</u> 것을 모두 고르면? (정답 2개)

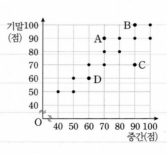

① 현서네 반의 중간고사 수학 성적의 평균은 70점보다 높다.
② C는 중간고사보다 기말고사의 수학 점수가 높다.
③ D의 기말 수학 성적은 기말고사 수학 성적의 반 평균보다 높다.
④ 중간고사보다 기말고사 수학 점수가 더 높은 학생은 7명이다.
⑤ 중간고사와 기말고사의 수학 점수가 같은 학생은 전체의 40%이다.

01
중요도 ☐ 손도 못댐 ☐ 과정 실수 ☐ 틀린 이유:

다음 중 가장 강한 양의 상관관계를 보이는 산점도는?

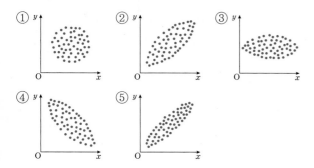

02
중요도 ☐ 손도 못댐 ☐ 과정 실수 ☐ 틀린 이유:

다음은 어떤 학교 독서 동아리 회원 16명이 지난 1년 동안 도서관에서 빌려 본 책의 수를 조사하여 작은 값에서부터 크기순으로 나열해 놓은 것이다. 이 자료의 최빈값, 중앙값, 평균을 각각 구하면?

0	0	0	6	6	7	10	10
13	13	15	21	23	23	24	45

① 최빈값: 0, 중앙값: 10, 평균: 13
② 최빈값: 0, 중앙값: 11, 평균: 13.5
③ 최빈값: 0, 중앙값: 11.5, 평균: 13.5
④ 최빈값: 10, 중앙값: 11.5, 평균: 11.5
⑤ 최빈값: 10, 중앙값: 11.5, 평균: 13

03
중요도 ☐ 손도 못댐 ☐ 과정 실수 ☐ 틀린 이유:

9개의 변량 중 6개의 변량이 7, 8, 3, 5, 9, 5일 때, 이 9개의 변량의 중앙값이 될 수 있는 가장 큰 수는?

① 5 ② 6 ③ 7
④ 8 ⑤ 9

04
중요도 ☐ 손도 못댐 ☐ 과정 실수 ☐ 틀린 이유:

8개의 변량 a, b, c, 6, 7, 7, 11, 15의 중앙값이 10이고, 최빈값이 11일 때, $a+b+c$의 값은?

① 28 ② 29 ③ 31
④ 34 ⑤ 35

05
중요도 ☐ 손도 못댐 ☐ 과정 실수 ☐ 틀린 이유:

다음은 은주가 10회 동안 줄넘기를 한 횟수의 기록을 나타낸 것이다. 줄넘기 기록의 중앙값을 a회, 최빈값을 b회라고 할 때, $a+b$의 값은?

37	27	26	37	30
30	45	40	37	33

① 72 ② 71 ③ 70
④ 69 ⑤ 68

06
중요도 ☐ 손도 못댐 ☐ 과정 실수 ☐ 틀린 이유:

다음 중 옳지 않은 것은? (정답 2개)

① 자료 전체의 특징을 대표하는 값을 대푯값이라고 한다.
② 분산은 편차의 평균이다.
③ 편차는 각 변량에서 평균을 뺀 값이다.
④ 최빈값은 항상 주어진 자료 중에 존재한다.
⑤ 편차의 합은 항상 같다.

07
중요도 ☐ 손도 못댐 ☐ 과정 실수 ☐ 틀린 이유:

민서네 반의 수학 성적에서 2명을 누락하여 계산한 평균이 70점이고 중앙값이 65점이었다. 누락된 2명의 성적이 60점과 90점일 때, 다음 중 이를 반영하여 계산한 결과로 옳은 것은?

① 평균은 70점보다 낮고, 중앙값도 65점보다 낮다.
② 평균은 70점이고, 중앙값은 65점이다.
③ 평균은 70점이고 중앙값은 65점보다 낮다.
④ 평균은 70점이고 중앙값은 65점보다 높다.
⑤ 평균은 70점보다 높고, 중앙값은 65점이다.

08
중요도 ☐ 손도 못댐 ☐ 과정 실수 ☐ 틀린 이유:

다음은 도원이네 반 학생 6명의 과학 탐구 보고서 점수를 조사하여 나타낸 것이다. 이 변량들의 편차가 될 수 <u>없는</u> 것은?

(단위: 점)

17 14 19 15 13 12

① −3   ② −2   ③ −1
④ 0   ⑤ 1

09
중요도 ☐ 손도 못댐 ☐ 과정 실수 ☐ 틀린 이유:

다음 도수분포표로 주어진 자료의 분산은?

변량	15	16	17	18	19	합계
도수	1	2	4	2	1	10

① 1   ② 1.1   ③ 1.2
④ 1.3   ⑤ 1.4

10
중요도 ☐ 손도 못댐 ☐ 과정 실수 ☐ 틀린 이유:

다음은 A, B, C, D, E 5명의 국어 성적의 편차를 나타낸 표이다. a의 값은?

학생	A	B	C	D	E
점수	−3	−1	2	a	−2

① 3   ② 4   ③ 5
④ 6   ⑤ 7

11
중요도 ☐ 손도 못댐 ☐ 과정 실수 ☐ 틀린 이유:

아래 표는 A, B 두 모둠의 10명씩의 수학 성적이다. 다음 중 옳은 것을 모두 고르면? (정답 2개)

A	8	7	6	5	7	8	7	7	9	6
B	4	8	7	4	5	7	7	10	9	9

① 두 모둠의 성적의 평균이 같다.
② 두 모둠의 성적의 표준편차가 같다.
③ B 모둠의 성적이 A 모둠의 성적보다 평균을 중심으로 모여 있다.
④ 각 학생들의 성적의 편차의 합은 두 모둠 모두 0이다.
⑤ A 모둠의 분산이 B 모둠의 분산보다 크다.

12
중요도 ☐ 손도 못댐 ☐ 과정 실수 ☐ 틀린 이유:

오른쪽 히스토그램으로 주어진 자료의 표준편차는?

① $\sqrt{10}$점   ② $2\sqrt{5}$점
③ $\sqrt{30}$점   ④ $2\sqrt{10}$점
⑤ $5\sqrt{2}$점

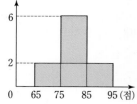

13
중요도 ☐ 손도 못댐 ☐ 과정 실수 ☐ 틀린 이유:

다음 표는 A, B, C, D, E 5명의 수학 성적에 대한 편차이다. 보기에서 옳은 것을 모두 고른 것은?

학생	A	B	C	D	E
편차(점)	−3	3	−2	0	2

보기

ㄱ. D의 점수는 평균과 같다.
ㄴ. A와 B의 점수 차는 3이다.
ㄷ. 표준편차는 $\sqrt{5.2}$점이다.

① ㄱ   ② ㄱ, ㄴ   ③ ㄱ, ㄷ
④ ㄴ, ㄷ   ⑤ ㄱ, ㄴ, ㄷ

14
중요도 ☐ 손도 못댐 ☐ 과정 실수 ☐ 틀린 이유:

다음 조건을 만족시키는 두 자연수 x, y의 평균은?

(가) 5, 9, x의 평균과 6, 7, 9, x의 평균이 같다.
(나) 3, 5, 7, 11, y의 평균과 3, 7, y의 평균이 같다.

① 10   ② 11   ③ 12
④ 13   ⑤ 14

15
중요도 ☐ 손도 못댐 ☐ 과정 실수 ☐ 틀린 이유:

아래 표는 A, B, C, D, E 5명의 몸무게에 대한 편차이다. 다음 중 옳지 <u>않은</u> 것은?

학생	A	B	C	D	E
편차(kg)	−3	1	0	x	4

① x의 값은 −2이다.
② 5명 중 E 학생이 제일 무겁다.
③ 몸무게가 평균보다 적은 학생은 2명이다.
④ 5명의 평균은 50 kg이다.
⑤ 5명의 분산은 6이다.

16
중요도 ☐ 손도 못댐 ☐ 과정 실수 ☐ 틀린 이유:

자료 A의 개수는 10이고 평균과 분산은 각각 50, 4이다. 자료 B의 개수는 10이고 평균과 분산은 각각 50, 9이다. 두 자료 A, B를 섞은 전체 자료의 평균과 분산을 차례로 구하면?

① 50, 4   ② 50, 6.5   ③ 50, 9
④ 52, 4   ⑤ 52, 6.5

17
중요도 ☐ 손도 못댐 ☐ 과정 실수 ☐ 틀린 이유:

아래 표는 A, B, C, D 4명의 수학 성적의 편차를 나타낸 것이다. 다음 중 옳은 것은?

학생	A	B	C	D
편차(점)	4	−3	x	−1

① A 학생의 성적이 가장 낮다.
② 중앙값은 C 학생의 성적과 같다.
③ B 학생의 점수와 D 학생의 점수의 차는 2점이다.
④ 분산은 4.5이다.
⑤ 이 자료만으로 평균을 구할 수 있다.

18
중요도 ☐ 손도 못댐 ☐ 과정 실수 ☐ 틀린 이유:

10개의 변량 x_1, x_2, $\cdots$, x_{10}의 평균이 10, 표준편차가 2일 때, $x_1^2 + x_2^2 + \cdots + x_{10}^2$의 값은?

① 1010   ② 1020   ③ 1030
④ 1040   ⑤ 1050

19 중요도 ☐ 손도 못댐 ☐ 과정 실수 ☐ 틀린 이유:

5개의 변량 9, 5, 11, x, y의 평균이 6, 분산이 12일 때, x와 y의 값을 각각 구하여라. (단, $x < y$)

20 중요도 ☐ 손도 못댐 ☐ 과정 실수 ☐ 틀린 이유:

오른쪽 그림은 어느 반 학생 25명의 수학 성적과 과학 성적에 대한 산점도이다. 옳지 <u>않은</u> 것을 모두 고르면? (정답 2개)

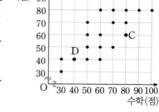

① 수학 성적과 과학 성적 사이에는 대체로 양의 관계를 보인다.

② C는 A보다 수학 점수가 높다.

③ 과학 성적보다 수학 성적이 높은 학생은 전체의 40%이다.

④ D는 C보다 과학 성적이 높다.

⑤ A와 B는 모두 수학 점수에 비해 과학 점수가 높다.

21 중요도 ☐ 손도 못댐 ☐ 과정 실수 ☐ 틀린 이유:

다음은 재희네 모둠 학생 5명 각각의 수학 점수에서 재희의 점수를 뺀 값을 나타낸 것이다. 이 5명의 수학 점수의 분산을 구하여라.

학생 이름	민서	유림	재희	예림	준희
{(점수)−(재희의 점수)} (점)	−8	−5	0	1	2

22 중요도 ☐ 손도 못댐 ☐ 과정 실수 ☐ 틀린 이유:

태형이의 4회에 걸친 음악 실기 평가 점수는 40점, 45점, 30점, x점이고 최빈값은 40점이다. 이때 5회까지의 평균이 42점이 되려면 5회째의 평가에서 몇 점을 받아야 하는지 구하여라.

23 중요도 ☐ 손도 못댐 ☐ 과정 실수 ☐ 틀린 이유:

3개의 변량 x_1, x_2, x_3의 평균이 10이고 분산이 2일 때, $2x_1+1$, $2x_2+1$, $2x_3+1$의 평균과 분산을 각각 구하여라.

24 중요도 ☐ 손도 못댐 ☐ 과정 실수 ☐ 틀린 이유:

오른쪽 그림은 어느반 학생들의 음악 성적과 미술 성적에 대한 산점도이다. A~E 학생 가운데 음악 성적과 미술 성적의 차이가 가장 큰 학생의 기호를 써라.

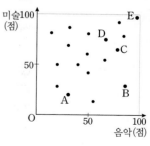

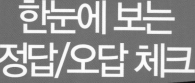

한눈에 보는 정답/오답 체크

01 삼각비

번호	o/x
1	
2	
3	
4	
5	
6	
7	
8	

어떤 교과서에나 나오는 문제

번호	o/x
1	
2	
3	
4	
5	
6	
7	
8	
9	
10	
11	
12	
13	
14	
15	
16	

시험에 꼭 나오는 문제

번호	o/x
1	
2	
3	
4	
5	
6	
7	
8	
9	
10	
11	
12	
13	
14	
15	
16	

시험에 꼭 나오는 문제

번호	o/x
09	
10	
11	
12	
13	
14	
15	
16	

나오는 문제

04 원과 접선

어떤 교과서에나 나오는 문제

번호	o/x
1	
2	
3	
4	
5	
6	
7	
8	

시험에 꼭 나오는 문제

번호	o/x
1	
2	
3	
4	
5	
6	
7	
8	
9	
10	
11	
12	
13	
14	
15	
16	

03 원과 현

어떤 교과서에나 나오는 문제

번호	o/x
1	
2	
3	
4	
5	
6	
7	
8	

시험에 꼭

번호	o/x
1	
2	
3	
4	
5	
6	
7	
8	

02 삼각비의 활용

어떤 교과서에나 나오는 문제

번호	o/x
1	
2	
3	
4	
5	
6	
7	
8	

교과서 노트

중학 수학 **3** (하)

정답 및 해설

Mathematics

정답 및 풀이

I. 삼각비

1 삼각비

본문 pp. 6~13

기본 체크

01 (1) $\dfrac{3}{5}$ (2) $\dfrac{4}{5}$ (3) $\dfrac{3}{4}$ (4) $\dfrac{4}{5}$ (5) $\dfrac{3}{5}$ (6) $\dfrac{4}{3}$

02 (1) $\dfrac{1+\sqrt{2}}{2}$ (2) $\dfrac{\sqrt{3}}{2}$ (3) 0

대표 예제

pp. 6~7

01 피타고라스 정리에 의하여

$\overline{AB}=\sqrt{2^2+1^2}=\boxed{\sqrt{5}}$

따라서 ∠A와 ∠B의 삼각비는 다음과 같다.

$\sin A=\boxed{\dfrac{2}{\sqrt{5}}}=\boxed{\dfrac{2\sqrt{5}}{5}}$

$\cos A=\boxed{\dfrac{1}{\sqrt{5}}}=\boxed{\dfrac{\sqrt{5}}{5}}$

$\tan A=\boxed{\dfrac{2}{1}}=\boxed{2}$

$\sin B=\boxed{\dfrac{1}{\sqrt{5}}}=\boxed{\dfrac{\sqrt{5}}{5}}$

$\cos B=\boxed{\dfrac{2}{\sqrt{5}}}=\boxed{\dfrac{2\sqrt{5}}{5}}$

$\tan B=\boxed{\dfrac{1}{2}}$

02 △ABC에서 피타고라스 정리에 의하여

$\overline{BC}=\sqrt{8^2-7^2}=\boxed{\sqrt{15}}$

△ABC∽△DBE (AA 닮음)이므로

$\boxed{\angle A}=\angle x$

$\therefore \sin x=\sin\boxed{A}=\boxed{\dfrac{\overline{BC}}{\overline{AB}}}=\boxed{\dfrac{\sqrt{15}}{8}}$

03 (준식)$=1\times\boxed{\dfrac{1}{2}}+\boxed{\dfrac{1}{2}}\div1-\sqrt{2}\times\boxed{1}=\boxed{1-\sqrt{2}}$

04 $\sin 30°=\dfrac{\overline{AC}}{\overline{AB}}$이므로 $\boxed{\dfrac{1}{2}}=\dfrac{\overline{AC}}{4}$

$\therefore \overline{AC}=\boxed{2}(\text{cm})$

$\cos 30°=\dfrac{\overline{BC}}{\overline{AB}}$이므로 $\boxed{\dfrac{\sqrt{3}}{2}}=\dfrac{\overline{BC}}{4}$

$\therefore \overline{BC}=\boxed{2\sqrt{3}}(\text{cm})$

어떤 교과서에나 나오는 문제

pp. 8~9

01 ③	02 ③	03 ⑤	04 $27\sqrt{10}$ cm²
05 ②	06 $2\sqrt{6}$ cm	07 ⑤	08 44°

01 $\overline{AC}=\sqrt{3^2+1^2}=\sqrt{10}$

① $\sin A=\dfrac{3}{\sqrt{10}}=\dfrac{3\sqrt{10}}{10}$

② $\cos A=\dfrac{1}{\sqrt{10}}=\dfrac{\sqrt{10}}{10}$

③ $\tan A=\dfrac{3}{1}=3$

④ $\sin C=\dfrac{1}{\sqrt{10}}=\dfrac{\sqrt{10}}{10}$

⑤ $\cos C=\dfrac{3}{\sqrt{10}}=\dfrac{3\sqrt{10}}{10}$

02 $\overline{AC}=\sqrt{3^2-2^2}=\sqrt{5}$이므로

$\cos A=\dfrac{\sqrt{5}}{3}$, $\tan B=\dfrac{\sqrt{5}}{2}$

$\therefore \cos A+\tan B=\dfrac{\sqrt{5}}{3}+\dfrac{\sqrt{5}}{2}=\dfrac{5\sqrt{5}}{6}$

03 $\overline{EG}=\sqrt{2}a$, $\overline{CE}=\sqrt{3}a$이므로

$\cos x=\dfrac{\overline{EG}}{\overline{EC}}=\dfrac{\sqrt{2}a}{\sqrt{3}a}=\dfrac{\sqrt{2}}{\sqrt{3}}=\dfrac{\sqrt{6}}{3}$

04 $\sin A=\dfrac{\overline{BC}}{21}=\dfrac{3}{7}$에서 $\overline{BC}=9(\text{cm})$

$\overline{AB}=\sqrt{21^2-9^2}=\sqrt{360}=6\sqrt{10}(\text{cm})$

$\therefore \triangle ABC=\dfrac{1}{2}\times6\sqrt{10}\times9$

$\qquad\qquad=27\sqrt{10}(\text{cm}^2)$

05 ① $\tan 0°-\sin 90°=0-1=-1$

② $\tan 45°\times\sin 0°+\sin 60°\div\cos 30°$

$\qquad=1\times0+\dfrac{\sqrt{3}}{2}\div\dfrac{\sqrt{3}}{2}=1$

③ $\cos 90°-\tan 30°\times\tan 60°$

$\qquad=0-\dfrac{1}{\sqrt{3}}\times\sqrt{3}=-1$

④ $\sin 90°\times\cos 30°+\cos 0°\times\sin 60°$

$\qquad=1\times\dfrac{\sqrt{3}}{2}+1\times\dfrac{\sqrt{3}}{2}=\sqrt{3}$

⑤ $2\sin 30°\times\cos 60°-\sin 45°\times\cos 45°$

$\qquad=2\times\dfrac{1}{2}\times\dfrac{1}{2}-\dfrac{\sqrt{2}}{2}\times\dfrac{\sqrt{2}}{2}=0$

06 $\tan 30°=\dfrac{\overline{BC}}{\overline{AB}}=\dfrac{\overline{BC}}{6}=\dfrac{\sqrt{3}}{3}$이므로

$\overline{BC}=2\sqrt{3}\,(\text{cm})$

$\sin 45°=\dfrac{\overline{BC}}{\overline{BD}}=\dfrac{2\sqrt{3}}{\overline{BD}}=\dfrac{\sqrt{2}}{2}$ 이므로

$\overline{BD}=2\sqrt{6}\,(\text{cm})$

07 ① $\sin x=\dfrac{\overline{BC}}{\overline{AC}}=\dfrac{\overline{BC}}{1}=\overline{BC}$

② $\tan x=\dfrac{\overline{DE}}{\overline{AD}}=\dfrac{\overline{DE}}{1}=\overline{DE}$

③ $\sin y=\dfrac{\overline{AB}}{\overline{AC}}=\dfrac{\overline{AB}}{1}=\overline{AB}$

④ $\cos y=\dfrac{\overline{BC}}{\overline{AC}}=\dfrac{\overline{BC}}{1}=\overline{BC}$

⑤ $\tan y=\dfrac{\overline{AB}}{\overline{BC}}=\dfrac{\overline{AD}}{\overline{DE}}=\dfrac{1}{\overline{DE}}$

08 $\cos A=\dfrac{\overline{AC}}{\overline{AB}}=\dfrac{71.93}{100}=0.7193$

주어진 삼각비의 표에서 $\cos 44°=0.7193$이므로

$\angle A=44°$

시험에 꼭 나오는 문제   pp. 10~13

01 ②	02 ⑤	03 ③	04 $\dfrac{1}{3}$	05 ③
06 $\dfrac{1}{4}$	07 ③	08 ④	09 1	10 ②
11 $5\sqrt{7}$ cm	12 ②	13 ④	14 ⑤	15 ①
16 13.372				

01 $\sin A=\dfrac{\overline{BC}}{8}=\dfrac{3}{4}$

$\therefore \overline{BC}=6$

$\overline{AC}=\sqrt{8^2-6^2}=\sqrt{28}=2\sqrt{7}$

$\therefore \cos A=\dfrac{2\sqrt{7}}{8}=\dfrac{\sqrt{7}}{4}$

02 $\overline{AB}=\sqrt{10^2-8^2}=6\,(\text{cm})$

이때 $x+y=90°$이므로

$x=\angle C,\ y=\angle B$

$\therefore \sin x+\cos y=\sin C+\cos B$

$=\dfrac{6}{10}+\dfrac{6}{10}=\dfrac{12}{10}=\dfrac{6}{5}$

03 $\cos A=\dfrac{5}{7}$이므로 오른쪽 그림과 같이 $\angle B=90°,\ \overline{AC}=7,\ \overline{AB}=5$인 삼각형 ABC를 그리면

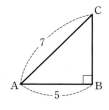

$\overline{BC}=\sqrt{7^2-5^2}=\sqrt{24}=2\sqrt{6}$

$\therefore 35\sin A\times\tan A$

$=35\times\dfrac{2\sqrt{6}}{7}\times\dfrac{2\sqrt{6}}{5}=24$

---

04 정사면체의 한 꼭짓점에서 수선의 발을 내리면 밑면의 무게중심에 떨어지므로 꼭짓점 A에서 밑면에 내린 수선의 발을 H라 하면 H는 $\triangle BCD$의 무게중심이다.

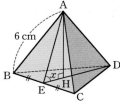

$\triangle AEH$는 $\angle AHE=90°$인 직각삼각형이고,

$\overline{AE}:\overline{EH}=\overline{DE}:\overline{EH}=3:1$

이므로

$\cos x=\dfrac{\overline{EH}}{\overline{AE}}=\dfrac{1}{3}$

05 $\overline{BC}=\sqrt{5^2+12^2}=13\,(\text{cm})$

$\triangle BEF\backsim\triangle BAC$ (AA 닮음)이므로

$\sin x=\sin C=\dfrac{\overline{AB}}{\overline{BC}}=\dfrac{12}{13}$

06 $\angle A=180°\times\dfrac{1}{1+2+3}=30°$

$\therefore \sin A\times\cos A\times\tan A=\dfrac{1}{2}\times\dfrac{\sqrt{3}}{2}\times\dfrac{1}{\sqrt{3}}=\dfrac{1}{4}$

07 $\sin(2x-10°)=\dfrac{1}{2}=\sin 30°$이므로

$2x-10°=30°,\ 2x=40°$

$\therefore x=20°$

08 ㄱ. $\sin^2 30°+\cos^2 60°=\left(\dfrac{1}{2}\right)^2+\left(\dfrac{1}{2}\right)^2=\dfrac{1}{2}$

ㄴ. $\sin 30°=\dfrac{1}{2}$

$\cos 30°\times\tan 30°=\dfrac{\sqrt{3}}{2}\times\dfrac{1}{\sqrt{3}}=\dfrac{1}{2}$

ㄷ. $\sin 30°+\sin 60°=\dfrac{1}{2}+\dfrac{\sqrt{3}}{2}=\dfrac{1+\sqrt{3}}{2}$

$\sin 90°=1$

ㄹ. $\tan 30°=\dfrac{1}{\sqrt{3}},\ \dfrac{1}{\tan 60°}=\dfrac{1}{\sqrt{3}}$

따라서 옳은 것은 ㄴ, ㄹ이다.

09 $x^2-x+\dfrac{1}{4}=0$에서 $\left(x-\dfrac{1}{2}\right)^2=0$

$\therefore x=\dfrac{1}{2}$

즉, $\sin A=\dfrac{1}{2}$에서 $\angle A=30°$

$\therefore 2\tan A\times\cos A=2\tan 30°\times\cos 30°$

$=2\times\dfrac{1}{\sqrt{3}}\times\dfrac{\sqrt{3}}{2}$

$=1$

10 직선 $4x-5y+20=0$에 대하여

$y=0$일 때, $x=-5$

$\therefore A(-5, 0)$

$x=0$일 때, $y=4$

$\therefore B(0, 4)$

$\therefore \tan A=\dfrac{4}{5}$

11 $\triangle ABC$에서

$\sin 30°=\dfrac{\overline{AB}}{20}=\dfrac{1}{2}$

$\therefore \overline{AB}=10(cm)$

$\cos 30°=\dfrac{\overline{BC}}{20}=\dfrac{\sqrt{3}}{2}$

$\therefore \overline{BC}=10\sqrt{3}(cm)$

$\overline{BD}=\overline{DC}=\dfrac{1}{2}\overline{BC}=\dfrac{1}{2}\times 10\sqrt{3}=5\sqrt{3}(cm)$

따라서 $\triangle ABD$에서

$\overline{AD}=\sqrt{10^2+(5\sqrt{3})^2}=\sqrt{175}=5\sqrt{7}(cm)$

12 $\angle OAB=\angle ODC=b$이므로

$\overline{OB}=\cos a=\sin b$

$\overline{AB}=\sin a=\cos b$

따라서 점 A의 좌표는 $(\sin b, \sin a)$이다.

13 ① $\sqrt{3}\tan 60°-2\cos 45°$

$=\sqrt{3}\times\sqrt{3}-2\times\dfrac{\sqrt{2}}{2}=3-\sqrt{2}$

② $\tan 0°-2\cos 30°\times\tan 30°+\sin 90°$

$=0-2\times\dfrac{\sqrt{3}}{2}\times\dfrac{1}{\sqrt{3}}+1=0$

③ $\sin^2 60°+\cos^2 60°-2\sin 90°\times\cos 0°$

$=\left(\dfrac{\sqrt{3}}{2}\right)^2+\left(\dfrac{1}{2}\right)^2-2\times 1\times 1=-1$

④ $(\sin 90°+\cos 45°)(\cos 0°-\sin 45°)$

$=\left(1+\dfrac{\sqrt{2}}{2}\right)\left(1-\dfrac{\sqrt{2}}{2}\right)=1-\dfrac{1}{2}=\dfrac{1}{2}$

⑤ $\sin 0°-\tan 30°\times\tan 60°+\cos 90°$

$=0-\dfrac{1}{\sqrt{3}}\times\sqrt{3}+0=-1$

14 $(\cos 0°\times\sin 90°)+(\tan 60°\times\cos 30°)$

$=1\times 1+\sqrt{3}\times\dfrac{\sqrt{3}}{2}=1+\dfrac{3}{2}=\dfrac{5}{2}$

15 $\triangle ADC$에서

$\overline{AD}:\overline{DC}:\overline{AC}=\sqrt{2}:1:1$이므로

$2:\overline{DC}:\overline{AC}=\sqrt{2}:1:1$

$\therefore \overline{DC}=\overline{AC}=\sqrt{2}(cm)$

$\triangle ABD$에서

$\angle B=\angle DAB=\dfrac{1}{2}\times 45°=22.5°$

$\therefore \tan 22.5°=\tan B=\dfrac{\overline{AC}}{\overline{BC}}$

$=\dfrac{\sqrt{2}}{2+\sqrt{2}}=\sqrt{2}-1$

16 $\sin 64°=\dfrac{x}{10}=0.8988$

$\therefore x=8.988$

$\cos 64°=\dfrac{y}{10}=0.4384$

$\therefore y=4.384$

$\therefore x+y=13.372$

---

2 삼각비의 활용

본문 pp. 14~21

기본 체크

p. 14

01 (1) 2 cm (2) $2\sqrt{3}$ cm

02 (1) 42 cm² (2) $24\sqrt{3}$ cm²

대표 예제

pp. 14~15

01 꼭짓점 A에서 대변 BC에 내린 수선의 발을 H라고 하면

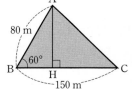

$\overline{AH}=80\times\boxed{\sin 60°}$

$=80\times\boxed{\dfrac{\sqrt{3}}{2}}=40\sqrt{3}(m)$

$\overline{BH}=80\times\boxed{\cos 60°}$

$=80\times\boxed{\dfrac{1}{2}}=\boxed{40}(m)$

$\overline{HC}=\overline{BC}-\overline{BH}=150-\boxed{40}=\boxed{110}(m)$

$\therefore \overline{AC}=\sqrt{\overline{AH}^2+\overline{HC}^2}=\sqrt{(\boxed{40\sqrt{3}})^2+\boxed{110}^2}=\boxed{130}(m)$

02 오른쪽 그림과 같이 꼭짓점 A에서 변 BC에 내린 수선의 발을 D라고 하면 직각삼각형 ABD에서

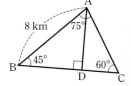

$\overline{AD}=8\times\boxed{\sin 45°}$

$$=8 \times \boxed{\dfrac{\sqrt{2}}{2}} = \boxed{4\sqrt{2}} \,(\text{km})$$

직각삼각형 ACD에서

$$\angle CAD = 75° - \angle BAD = 75° - (90° - 45°) = \boxed{30°}$$

따라서 △ACD는 직각삼각형이고

$$\cos 30° = \dfrac{\overline{AD}}{\overline{AC}} = \boxed{\dfrac{\sqrt{3}}{2}} \text{이므로}$$

$$\overline{AC} = \overline{AD} \div \boxed{\dfrac{\sqrt{3}}{2}} = \overline{AD} \times \boxed{\dfrac{2}{\sqrt{3}}}$$

$$= \boxed{4\sqrt{2}} \times \boxed{\dfrac{2}{\sqrt{3}}} = \boxed{\dfrac{8\sqrt{6}}{3}} \,(\text{km})$$

03 □ABCD에서 점 B와 D을 연결하고, □ABCD의 넓이를 S, △ABD의 넓이를 S_1, △BCD의 넓이를 S_2라고 하면

$$S = S_1 + S_2$$

$$= \dfrac{1}{2} \times 6 \times 2\sqrt{3} \times \boxed{\sin(180° - 150°)}$$

$$\qquad\qquad + \dfrac{1}{2} \times 10 \times 8 \times \boxed{\sin 60°}$$

$$= 6\sqrt{3} \times \boxed{\dfrac{1}{2}} + 40 \times \boxed{\dfrac{\sqrt{3}}{2}}$$

$$= \boxed{3\sqrt{3}} + \boxed{20\sqrt{3}}$$

$$= \boxed{23\sqrt{3}} \,(\text{cm}^2)$$

어떤 교과서에나 나오는 문제   pp. 16~17

01 $16\sqrt{3}$	02 15.504 m	03 11.1 m	04 ②
05 ⑤	06 ③	07 $14\sqrt{3}$ cm²	08 98.9 m

01 $\overline{BC} = \overline{AB} \times \cos 30°$에서

$$x = 8 \times \dfrac{\sqrt{3}}{2} = 4\sqrt{3}$$

$\overline{AC} = \overline{AB} \times \sin 30°$에서

$$y = 8 \times \dfrac{1}{2} = 4$$

$$\therefore xy = 16\sqrt{3}$$

02 $\overline{BC} = \overline{AB} \times \tan 35°$에서

$$\overline{BC} = 20 \times 0.7002 = 14.004 \,(\text{m})$$

$$\therefore (\text{나무의 높이}) = \overline{BC} + (\text{사람의 눈높이})$$

$$= 14.004 + 1.5$$

$$= 15.504 \,(\text{m})$$

03 (벽의 높이) $= 10 \times \sin 65° + 2$

$$= 10 \times 0.91 + 2$$

$$= 9.1 + 2 = 11.1 \,(\text{m})$$

04 점 A에서 $\overline{BC}$에 내린 수선의 발을 H라 하면

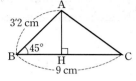

$$\overline{AH} = \overline{BH} = 3\sqrt{2} \times \sin 45°$$

$$= 3\sqrt{2} \times \dfrac{\sqrt{2}}{2} = 3 \,(\text{cm})$$

$$\overline{CH} = 9 - 3 = 6 \,(\text{cm})$$

$$\therefore \overline{AC} = \sqrt{3^2 + 6^2} = \sqrt{45} = 3\sqrt{5} \,(\text{cm})$$

05 $\tan A = \sqrt{3}$이면 $A = 60°$

$$\therefore \triangle ABC = \dfrac{1}{2} \times 4 \times 10 \times \sin 60°$$

$$= \dfrac{1}{2} \times 4 \times 10 \times \dfrac{\sqrt{3}}{2}$$

$$= 10\sqrt{3} \,(\text{cm}^2)$$

06 점 A에서 $\overline{BC}$에 내린 수선의 발을 H라고 하면

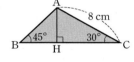

$$\overline{AH} = \overline{BH} = 8 \times \sin 30°$$

$$= 8 \times \dfrac{1}{2} = 4 \,(\text{cm})$$

$$\overline{CH} = 8 \times \cos 30° = 8 \times \dfrac{\sqrt{3}}{2} = 4\sqrt{3} \,(\text{cm})$$

$$\overline{AB} = 4\sqrt{2} \,(\text{cm})$$

$$\therefore \triangle ABC = \dfrac{1}{2} \times 4 \times (4 + 4\sqrt{3})$$

$$= 8 + 8\sqrt{3} \,(\text{cm}^2)$$

07 $\square ABCD = \dfrac{1}{2} \times 7 \times 8 \times \sin(180° - 120°)$

$$= \dfrac{1}{2} \times 7 \times 8 \times \dfrac{\sqrt{3}}{2}$$

$$= 14\sqrt{3} \,(\text{cm}^2)$$

08 점 A에서 $\overline{BC}$에 내린 수선의 발을 H라 하고, $\overline{AC} = x$ m, $\overline{AH} = h$라 하면

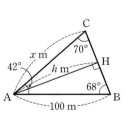

$$\angle C = 180° - (42° + 68°) = 70°$$

△ABH에서

$$h = 100 \sin 68° \qquad \cdots\cdots \ \text{㉠}$$

△ACH에서

$$h = x \sin 70° \qquad \cdots\cdots \ \text{㉡}$$

㉠, ㉡에서 $x \sin 70° = 100 \sin 68°$

$$\therefore x = \dfrac{100 \sin 68°}{\sin 70°} = \dfrac{100 \times 0.93}{0.94}$$

$$= 98.9 \,(\text{m})$$

01 $3(\sqrt{3}+1)$cm	02 ③	03 $50(3-\sqrt{3})$m
04 ②	05 $10\sqrt{145}$ m	06 ②
07 $2\sqrt{6}$ cm	08 ④	09 ③ 10 ① 11 ②
12 ②	13 20 cm²	14 $8\sqrt{2}$ cm² 15 40 m
16 $500(\sqrt{3}+1)$m		

01 $\overline{AC}=h$ cm라 하면

△ABC에서 $\overline{BC}=h\tan 60°$

△AHC에서 $\overline{HC}=h\tan 45°$

$\overline{BC}-\overline{HC}=6$이므로

$h\tan 60°-h\tan 45°=6$

$h(\tan 60°-\tan 45°)=6$

$h(\sqrt{3}-1)=6$

$\therefore h=\dfrac{6}{\sqrt{3}-1}=3(\sqrt{3}+1)(\text{cm})$

02

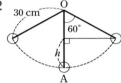

그림과 같이 구하는 높이를 h라하면,

$h=30-30\cos 60°$이므로 15 cm

[다른 풀이]

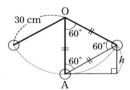

$h=30\sin 30°$

   $=30\times\dfrac{1}{2}=15(\text{cm})$

03 C에서 $\overline{AB}$에 내린 수선의 발을 H라 하면

$\overline{AH}=\dfrac{\overline{CH}}{\tan 60°}=\dfrac{\overline{CH}}{\sqrt{3}}$

$\overline{BH}=\dfrac{\overline{CH}}{\tan 45°}=\overline{CH}$

이때 $\overline{AB}=\overline{AH}+\overline{BH}$이므로

$100=\dfrac{\overline{CH}}{\sqrt{3}}+\overline{CH}$, $(\sqrt{3}+1)\overline{CH}=100\sqrt{3}$

$\therefore \overline{CH}=\dfrac{100\sqrt{3}}{\sqrt{3}+1}=50(3-\sqrt{3})(\text{m})$

04 △ABC에서 $\tan 30°=\dfrac{2}{\overline{BC}}=\dfrac{1}{\sqrt{3}}$

$\overline{BC}=2\sqrt{3}$

△DBC에서 $\cos 45°=\dfrac{\overline{BC}}{\overline{BD}}=\dfrac{\sqrt{2}}{2}=\dfrac{2\sqrt{3}}{\overline{BD}}$

$\sqrt{2}\times\overline{BD}=2\times 2\sqrt{3}$

$\therefore \overline{BD}=2\sqrt{6}$

05 점 A에서 $\overline{BC}$에 내린 수선의 발을 H라 하면

$\overline{AH}100\times\sin 53°=100\times 0.8=80(\text{m})$

$\overline{CH}=100\times\cos 53°=100\times 0.6=60(\text{m})$

$\overline{BH}=150-60=90(\text{m})$

$\therefore \overline{AB}=\sqrt{\overline{AH}^2+\overline{BH}^2}=\sqrt{80^2+90^2}$

      $=\sqrt{14500}=10\sqrt{145}(\text{m})$

06 점 A에서 $\overline{BC}$에 내린 수선의 발을 H라 하면

$\angle ABH=60°$이므로

$\overline{AH}=6\sin 60°=6\times\dfrac{\sqrt{3}}{2}=3\sqrt{3}(\text{cm})$

$\overline{BH}=6\cos 60°=6\times\dfrac{1}{2}=3(\text{cm})$

$\overline{CH}=8-3=5(\text{cm})$

$\therefore \overline{AC}=\sqrt{\overline{AH}^2+\overline{CH}^2}=\sqrt{(3\sqrt{3})^2+5^2}$

      $=\sqrt{52}=2\sqrt{13}(\text{cm})$

07 $\overline{AD}=4\times\sin 60°=4\times\dfrac{\sqrt{3}}{2}=2\sqrt{3}(\text{cm})$

$\angle C=180°-(75°+60°)=45°$이므로

$\sin 45°=\dfrac{\overline{AD}}{\overline{AC}}=\dfrac{2\sqrt{3}}{\overline{AC}}$

$\therefore \overline{AC}=\dfrac{2\sqrt{3}}{\sin 45°}=2\sqrt{3}\div\dfrac{\sqrt{2}}{2}=2\sqrt{6}(\text{cm})$

08 $\triangle ABC=\dfrac{1}{2}\times 4\times 7\times\sin A=7\sqrt{3}$에서

$\sin A=\dfrac{\sqrt{3}}{2}$ $\therefore \angle A=60°$

[더 자세한 풀이]

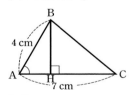

$\overline{BH}=4\sin A$이므로

$\triangle ABC=\dfrac{1}{2}\times 7\times 4\sin A=7\sqrt{3}$

$\therefore \sin A=\dfrac{\sqrt{3}}{2}$, $A=60°$

09 오른쪽 그림과 같이 꼭짓점 A에서 $\overline{BC}$ 에 내린 수선의 발을 H라 하자.
$\overline{BH}=k\ (k>0)$라고 하면
$\triangle ABH$에서
$\tan B=\dfrac{\overline{AH}}{k}=2$

∴ $\overline{AH}=2k$

이때 $\overline{AB}=\sqrt{k^2+(2k)^2}=\sqrt{5}k=3$이므로

$k=\dfrac{3}{\sqrt{5}}=\dfrac{3\sqrt{5}}{5}$(cm)

따라서 $\overline{AH}=2k=\dfrac{6\sqrt{5}}{5}$(cm)이므로

$\triangle ABC=\dfrac{1}{2}\times 5\times\dfrac{6\sqrt{5}}{5}=3\sqrt{5}$(cm²)

10 $\square ABCD=\triangle ABD+\triangle BCD$

$\quad=\dfrac{1}{2}\times 3\times 4\times\sin(180°-120°)$

$\qquad+\dfrac{1}{2}\times 6\times 5\times\sin 60°$

$\quad=6\times\dfrac{\sqrt{3}}{2}+15\times\dfrac{\sqrt{3}}{2}$

$\quad=\dfrac{21\sqrt{3}}{2}$

11 $\overline{AC}=\sqrt{12^2+9^2}=15$(cm)

∴ $\square ABCD=\dfrac{1}{2}\times 15\times 20\times\sin(180-120)°$

$\qquad=150\times\dfrac{\sqrt{3}}{2}=75\sqrt{3}$(cm²)

12 $\square ABCD=4\times 6\times\sin 60°$

$\qquad=4\times 6\times\dfrac{\sqrt{3}}{2}=12\sqrt{3}$(cm²)

∴ $\triangle AMC=\dfrac{1}{4}\square ABCD$

$\qquad=\dfrac{1}{4}\times 12\sqrt{3}$

$\qquad=3\sqrt{3}$(cm²)

13 $\angle BAD=\angle CAD=x$라 하면

$\triangle ABD=\dfrac{1}{2}\times 15\times\overline{AD}\times\sin x=30$

∴ $\overline{AD}\sin x=4=(\triangle ABD$의 높이)

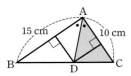

$\overline{AD}\sin x=(\triangle ADC$의 높이)

$(\because \overline{AD}$ 공통, $\angle BAD=\angle CAD$, RHA 합동)

∴ $\triangle ADC=\dfrac{1}{2}\times 10\times\overline{AD}\times\sin x$

$\qquad=20$(cm²)

[다른 풀이]

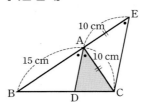

$\triangle ABD \backsim \triangle EBC$이고, 닮음비는 $15:25=3:5$

∴ $\overline{BD}:\overline{CD}=3:2$

$\triangle ABD$의 넓이가 $30\ \text{cm}^2$이므로

$\triangle ABC$의 넓이$=50\ \text{cm}^2$

$(\triangle ABC\times\dfrac{3}{5}=30=\triangle ABD)$

∴ $\triangle ADC=\triangle ABC-\triangle ABD=50-30=20$(cm²)

14 정팔각형은 두 변의 길이가 $2\ \text{cm}$이고 끼인각의 크기가 $45°$인 이등변삼각형 8개로 이루어져있다.

∴ (정팔각형의 넓이)$=8\times\dfrac{1}{2}\times 2\times 2\times\sin 45°$

$\qquad\qquad=8\sqrt{2}$(cm²)

15 오른쪽 그림에서

$\cos 70°=\dfrac{\overline{BD}}{\overline{AB}}$이므로

$0.35=\dfrac{7}{\overline{AB}}$

∴ $\overline{AB}=\dfrac{7}{0.35}=20$

$\cos 50°=\dfrac{\overline{CD}}{\overline{AC}}$이므로 $0.65=\dfrac{13}{\overline{AC}}$

∴ $\overline{AC}=\dfrac{13}{0.65}=20$

따라서 나무의 길이는

$\overline{AB}+\overline{AC}=20+20=40$(m)

16 A 지점에서 시속 $60\ \text{km}$ 속력으로 1분을 왔으므로 A 지점과 B 지점과의 거리는 $1\ \text{km}(1000\ \text{m})$이다.

∴ $\overline{AB}=1000\ \text{m}$

$\overline{BC}=\overline{CD}=a$라 하면

$\triangle ACD$에서

$\tan 30°=\dfrac{\overline{CD}}{\overline{AC}}=\dfrac{a}{1000+a}=\dfrac{1}{\sqrt{3}}$

$\sqrt{3}a=1000+a,\ (\sqrt{3}-1)a=1000$

∴ $a=\dfrac{1000}{\sqrt{3}-1}=500(\sqrt{3}+1)$(m)

01 $\sin A=\dfrac{3}{5}$이므로 오른쪽 그림처럼

$\angle B=90°$, $\overline{AC}=5$, $\overline{BC}=3$인

직각삼각형

ABC를 생각하면

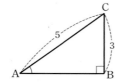

$\overline{AB}=\sqrt{5^2-3^2}=4$이므로

$\cos A+\tan A=\dfrac{4}{5}+\dfrac{3}{4}=\dfrac{31}{20}$

02 $\overline{AB}=c$, $\overline{BC}=a$라 하면

$\cos A=\dfrac{3}{c}$, $\cos B=\dfrac{a}{c}$

이때 $\cos A=2\cos B$에서

$\dfrac{3}{c}=\dfrac{2a}{c}$ $\therefore a=\dfrac{3}{2}$

$\therefore \overline{AB}=\sqrt{3^2+\left(\dfrac{3}{2}\right)^2}=\sqrt{\dfrac{45}{4}}=\dfrac{3\sqrt{5}}{2}$(cm)

03 $\overline{AB}=\sqrt{1^2+(\sqrt{3})^2}=2$(cm)

$\triangle ABC \backsim \triangle CBD \backsim \triangle ACD$ (AA 닮음)이므로

$\cos x=\cos B=\dfrac{\sqrt{3}}{2}$

$\sin y=\sin A=\dfrac{\sqrt{3}}{2}$

$\therefore \cos x+\sin y=\sqrt{3}$

04 $\overline{BD}=\sqrt{9^2+12^2}=15$(cm)

$\triangle ABD \backsim \triangle HAD$ (AA 닮음)이므로

$\angle ABD=\angle y$라 하면 $\angle y=\angle x$이므로

$\sin x=\sin y=\dfrac{12}{15}=\dfrac{4}{5}$

$\cos x=\cos y=\dfrac{9}{15}=\dfrac{3}{5}$

$\therefore \sin x-\cos x=\dfrac{4}{5}-\dfrac{3}{5}=\dfrac{1}{5}$

05 $x-\sqrt{3}y+3=0$에서 $y=\dfrac{\sqrt{3}}{3}x+\sqrt{3}$

즉, $\tan a=\dfrac{\sqrt{3}}{3}$이므로 $a=30°$

06 ① $\cos 30° \times \tan 60° \div \cos 45°$

$=\dfrac{\sqrt{3}}{2}\times\sqrt{3}\div\dfrac{1}{\sqrt{2}}=\dfrac{3\sqrt{2}}{2}$

② $2\sin 60°-\sqrt{2}\sin 45°+\tan 30°$

$=2\times\dfrac{\sqrt{3}}{2}-\sqrt{2}\times\dfrac{1}{\sqrt{2}}+\dfrac{1}{\sqrt{3}}$

$=\sqrt{3}-1+\dfrac{\sqrt{3}}{3}=\dfrac{4\sqrt{3}}{3}-1$

③ $\sqrt{3}\sin 60°=\sqrt{3}\times\dfrac{\sqrt{3}}{2}=\dfrac{3}{2}$

$1+\sin 30°=1+\dfrac{1}{2}=\dfrac{3}{2}$

④ $\tan 30°=\dfrac{1}{\sqrt{3}}=\dfrac{1}{\tan 60°}$

⑤ $\tan 45°\div\cos 45°=1\div\dfrac{1}{\sqrt{2}}=1\times\sqrt{2}=\sqrt{2}\neq\sin 45°$

07 $\overline{OE}=1$이므로 $\triangle EOB$에서

$a=\sqrt{1^2-\left(\dfrac{1}{2}\right)^2}=\sqrt{\dfrac{3}{4}}=\dfrac{\sqrt{3}}{2}$

$\overline{OE}:\overline{OB}=2:1$이므로 $\angle EOB=60°$

즉, $\tan 60°=\dfrac{b}{\overline{OA}}=\sqrt{3}$에서 $b=\sqrt{3}$

[다른 풀이]

$\angle EOB=x$라 하면,

$\dfrac{\overline{OB}}{\overline{OE}}=\cos x=\dfrac{\dfrac{1}{2}}{1}=\dfrac{1}{2}$

$\therefore x=60°$

$a=\sin 60°=\dfrac{\sqrt{3}}{2}$

$\dfrac{\overline{AC}}{\overline{OA}}=\tan 60°$이므로

$\dfrac{b}{1}=\sqrt{3}$

$\therefore b=\sqrt{3}$

08 ①, ④ $0°\leq x\leq 90°$일 때, $\tan x$의 값은 0에서부터 무한히 증가한다.

② $0°\leq x\leq 90°$일 때, x의 값이 커지면 $\sin x$의 값도 커진다.

③ $0°<x<45°$일 때, $\sin x<\cos x$

⑤ $\tan 45°=\sin 90°=1$이지만 $\cos 90°=0$이다

09 $\sin 28° = \dfrac{5}{\overline{AB}}$ 에서 $\overline{AB} = \dfrac{5}{\sin 28°}$

10 $\sin 36° = \dfrac{\overline{BC}}{\overline{AC}}$ 에서

$\overline{AC} = \dfrac{10}{0.6} = \dfrac{50}{3}$ (m)

(시간)=(거리)÷(속력)이므로

$\dfrac{50}{3} \div 40 = \dfrac{50}{3} \times \dfrac{1}{40} = \dfrac{5}{12}$ (분)=25(초)

따라서 A 지점에서 C 지점까지 가는데 25초 걸린다.

11 점 A에서 $\overline{BC}$에 내린 수선의 발을
D라 하면
$\overline{BD} = \overline{AB} \cos 30°$

$\qquad = 2 \times \dfrac{\sqrt{3}}{2} = \sqrt{3}$ (cm)

$\overline{DC} = \overline{AC} \cos 45° = \sqrt{2} \times \dfrac{1}{\sqrt{2}} = 1$ (cm)

$\therefore \overline{BC} = \overline{BD} + \overline{DC} = \sqrt{3} + 1$ (cm)

12 $0° < x < 90°$에서 $0 < \sin x < 1$이므로
$\sin x + 1 > 0$, $\sin x - 1 < 0$

$\therefore \sqrt{(\sin x + 1)^2} + \sqrt{(\sin x - 1)^2}$

$\quad = (\sin x + 1) - (\sin x - 1)$

$\quad = \sin x + 1 - \sin x + 1$

$\quad = 2$

13 $\tan C = \dfrac{\sqrt{3}}{3}$이므로 $\angle C = 30°$

$\therefore \triangle ABC = \dfrac{1}{2} \times 12 \times 9 \times \sin 30°$

$\qquad = 54 \times \dfrac{1}{2} = 27$ (cm²)

14 $\triangle ABC = \dfrac{1}{2} \times 6 \times 8 \times \sin(180° - 150°)$

$\qquad = 24 \times \sin 30° = 24 \times \dfrac{1}{2} = 12$ (cm²)

15 정사각뿔의 높이는 $\overline{OH}$이고 $\triangle OHA$는 직각삼각형이므로
$\overline{OH} = \overline{AH} \tan 52° = 115 \tan 52°$ (m)

16 $\sin 30° = \dfrac{2\sqrt{3}}{\overline{AB}} = \dfrac{1}{2}$ 에서 $\overline{AB} = 4\sqrt{3}$ (cm)

$\tan 30° = \dfrac{2\sqrt{3}}{\overline{BC}} = \dfrac{1}{\sqrt{3}}$ 에서 $\overline{BC} = 6$ (cm)

점 O에서 $\overline{AB}$, $\overline{BC}$, $\overline{AC}$에 내린 수선의 발
을 각각 D, E, F 라 하고, 내접원의 반지름
의 길이를 r라 하면
내접원의 성질에 의해
$\overline{OD} = \overline{OE} = \overline{OF} = r$

$\overline{AD} = \overline{AF} = 2\sqrt{3} - r$, $\overline{BD} = \overline{BE} = 6 - r$

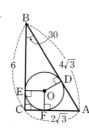

이때 $\overline{AB} = \overline{AD} + \overline{BD}$이므로
$4\sqrt{3} = 2\sqrt{3} - r + 6 - r$, $2r = 6 - 2\sqrt{3}$

$\therefore r = 3 - \sqrt{3}$ (cm)

[다른 풀이]
$\triangle ABC = \triangle AOB + \triangle BOC + \triangle AOC$이므로

$\dfrac{1}{2} \times 6 \times 2\sqrt{3} = \dfrac{1}{2} \times (4\sqrt{3} + 6 + 2\sqrt{3}) \times r$

$\therefore r = 3 - \sqrt{3}$

17 $\overline{BC}$의 길이를 x라고 하면

$\triangle BCD$에서 $\tan 60° = \dfrac{\overline{CD}}{x} = \sqrt{3}$이므로

$\overline{CD} = \sqrt{3}x$

$\triangle ACD$에서 $\tan 30° = \dfrac{\overline{CD}}{\overline{AC}} = \dfrac{\sqrt{3}x}{30+x} = \dfrac{1}{\sqrt{3}}$

$3x = 30 + x$, $2x = 30$

$\therefore x = 15$

$\therefore$ (풍선의 지상으로부터의 높이)
$\qquad = \overline{CD} = \sqrt{3}x = 15\sqrt{3}$ (m)

18 $\overline{BD} = x$라 하면 $\overline{AC} = \dfrac{x}{2}$

$\square ABCD = \dfrac{1}{2} \times x \times \dfrac{x}{2} \times \sin 60° = 8\sqrt{3}$이므로

$\dfrac{\sqrt{3}}{8} x^2 = 8\sqrt{3}$, $x^2 = 64$

$\therefore x = 8$ (cm)

19 $20° < \angle x < 50°$에서 $40° < 2\angle x < 100°$
$15° < 2\angle x - 25° < 75°$

$\cos(2x - 25°) = \dfrac{\sqrt{2}}{2} = \cos 45°$이므로

$2x - 25° = 45°$, $2x = 70°$

$\therefore x = 35°$

$\therefore \tan(x + 25°) = \tan 60° = \sqrt{3}$

20 $\cos 39° + \tan 41° - \sin 42°$
$\quad = 0.7771 + 0.8693 - 0.6691$
$\quad = 0.9773$

21 $\overline{DH} = 10 \tan 30° = 10 \times \dfrac{\sqrt{3}}{3}$

$\qquad = \dfrac{10\sqrt{3}}{3}$ (m)

$\overline{EH} = 10 \tan 45° = 10 \times 1 = 10$ (m)

$\therefore \overline{DE} = \overline{DH} + \overline{EH} = \dfrac{10\sqrt{3}}{3} + 10$

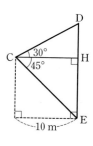

$$= \frac{10(3+\sqrt{3})}{3} \, (\text{m})$$

22 $\angle C = 180° - (75° + 45°) = 60°$

점 A에서 $\overline{BC}$에 내린 수선의 발을 H라 하면

$$\overline{AH} = 6 \sin 60° = 6 \times \frac{\sqrt{3}}{2} = 3\sqrt{3} \, (\text{m})$$

$\triangle ABH$에서 $\sin 45° = \dfrac{\overline{AH}}{\overline{AB}} = \dfrac{\sqrt{2}}{2}$이므로

$$\sqrt{2}\,\overline{AB} = 2\overline{AH}, \quad \overline{AB} = \frac{6\sqrt{3}}{\sqrt{2}} = 3\sqrt{6} \, (\text{m})$$

23 $\angle BOC = \dfrac{4}{12} \times 360° = 120°$

$$\therefore \triangle BOC = \frac{1}{2} \times 8 \times 8 \times \sin(180° - 120°)$$
$$= 32 \times \frac{\sqrt{3}}{2} = 16\sqrt{3} \, (\text{cm}^2)$$

24 $\angle AOB = 24° + 36° = 60°$이므로

$$\square ABCD = \frac{1}{2} \times 10 \times 14 \times \sin 60°$$
$$= 70 \times \frac{\sqrt{3}}{2} = 35\sqrt{3} \, (\text{cm}^2)$$

Ⅱ. 원의 성질

3 원과 현

본문 pp. 26~33

기본 체크

01 (1) 6 (2) 6

02 (1) 8 (2) 6

대표 예제

pp. 26~27

01 $\overline{OH} = \overline{CH} = 5(\text{cm})$이므로

$\overline{OB} = \overline{OC} = \boxed{2}\,\overline{CH} = \boxed{2} \times 5 = \boxed{10}\,(\text{cm})$

$\triangle OHB$에서

$\overline{BH} = \sqrt{\boxed{10}^2 - 5^2} = \sqrt{\boxed{75}} = \boxed{5\sqrt{3}}\,(\text{cm})$

원의 중심에서 현에 내린 수선은 그 현을 수직이등분하므로

$\overline{AH} = \overline{BH}$

$\therefore \overline{AB} = \boxed{2}\,\overline{AH} = \boxed{2} \times \boxed{5\sqrt{3}} = \boxed{10\sqrt{3}}\,(\text{cm})$

02 $\overline{OA} = r \text{ cm}$라고 하면

$\overline{AD} = \boxed{BD} = 6(\text{cm})$, $\overline{OD} = \boxed{r-4}\,(\text{cm})$이므로

$\triangle OAD$에서 $r^2 = \boxed{6}^2 + (\boxed{r-4})^2$, $8r = \boxed{52}$

$\therefore r = \boxed{\dfrac{13}{2}}$

따라서 원 O의 반지름의 길이는 $\boxed{\dfrac{13}{2}}$ cm이다.

03 $\overline{AM} = \boxed{BM}$이므로

$\overline{AB} = \boxed{2}\,\overline{AM} = \boxed{2} \times 4 = \boxed{8}\,(\text{cm})$

이때 $\overline{OM} = \overline{ON}$이므로

$\overline{CD} = \boxed{AB} = \boxed{8}\,(\text{cm})$

04 $\overline{OM} = \overline{ON}$이므로 $\overline{AB} = \boxed{AC}$

즉, $\triangle ABC$는 이등변삼각형이므로

$\angle C = \boxed{\angle B} = \boxed{54°}$

따라서 $\triangle ABC$에서

$\angle x + 54° + \boxed{54°} = 180°$

$\therefore \angle x = \boxed{72°}$

01 ②	02 ②	03 $8\sqrt{3}$ cm	04 ③	05 ②
06 ④	07 ③	08 $6\sqrt{3}$ cm		

01 $\overline{OH}=10-2=8(cm)$이고
$\triangle OAH$에서 $\overline{AH}=\sqrt{10^2-8^2}=6(cm)$
$\therefore \overline{AB}=2\overline{AH}=12(cm)$

02 원 O의 반지름의 길이를 r라 하면
$\overline{OM}=r-1(cm)$
따라서 직각삼각형 OBM에서
$(r-1)^2+3^2=r^2$, $2r=10$
$\therefore r=5(cm)$

03 $\overline{OM}=\dfrac{1}{2}\overline{OC}=4(cm)$이므로
$\overline{BM}=\sqrt{8^2-4^2}=\sqrt{48}=4\sqrt{3}(cm)$
$\therefore \overline{AB}=2\overline{BM}=8\sqrt{3}(cm)$

04 현의 성질에 의해 $\overline{AM}=\overline{BM}$, $\overline{CM}=\overline{DM}$
$\therefore \overline{AC}=\overline{AM}-\overline{CM}$
$=\overline{BM}-\overline{DM}$
$=\overline{BD}=6(cm)$

05 $\overline{OB}=\dfrac{1}{2}\overline{AB}=15(cm)$
$\overline{DM}=\dfrac{1}{2}\overline{CD}=12(cm)$

이때 $\triangle ODM$이 직각삼각형이므로
$\overline{OM}=\sqrt{15^2-12^2}=\sqrt{81}=9(cm)$

06 원의 중심으로부터 같은 거리에 있는 두 현의 길이는 같으므로
$\overline{AB}=\overline{AC}$
따라서 $\triangle ABC$는 이등변삼각형이므로
$\angle B=\angle C=x$라 하면
$\triangle ABC$에서 $x+x+40°=180°$, $2x=140°$
$\therefore \angle ABC=x=70°$

07 $\triangle OAM$에서 $\overline{AM}=\sqrt{6^2-3^2}=\sqrt{27}=3\sqrt{3}(cm)$
$\overline{AB}=2\overline{AM}=6\sqrt{3}(cm)$이고 $\overline{AB}=\overline{CD}$이므로
$\overline{CD}=6\sqrt{3}(cm)$

08 $\overline{AB}=2\overline{AL}=2\sqrt{3}(cm)$
$\overline{OL}=\overline{OM}=\overline{ON}$이므로 $\overline{AB}=\overline{BC}=\overline{AC}$
따라서 $\triangle ABC$는 정삼각형이므로 둘레의 길이는
$3\times 2\sqrt{3}=6\sqrt{3}(cm)$

01 ②	02 ③	03 ②	04 8 cm	05 ⑤
06 4 cm	07 ③	08 $\sqrt{145}$ cm		09 ③
10 ①	11 60°	12 ③	13 $10\sqrt{3}$ cm	
14 ④	15 ②	16 $16\sqrt{3}$ cm²		

01 $\overline{OM}$은 원의 중심에서 현 AB에 내린 수선이므로
$\overline{AM}=\overline{BM}=3$ cm
$\triangle AOM$에서 $\overline{OA}=\sqrt{2^2+3^2}=\sqrt{13}(cm)$
따라서 원 O의 넓이는 $(\sqrt{13})^2\pi=13\pi(cm^2)$

02 $\overline{OM}$은 원의 중심에서 현 AB에 내린 수선이므로
$\overline{AM}=\overline{BM}=\sqrt{5}$ cm
$\triangle OMB=\dfrac{1}{2}\times\overline{OM}\times\sqrt{5}=\sqrt{5}$에서 $\overline{OM}=2(cm)$
$\triangle OMB$에서 $\overline{OB}=\sqrt{(\sqrt{5})^2+2^2}=\sqrt{9}=3(cm)$
따라서 원의 반지름의 길이는 3 cm이다.

03 $\overline{OA}=r$라 놓으면 $\overline{OM}=r-3$이므로
$\triangle OAM$에서 $(r-3)^2+6^2=r^2$
$6r=45$ $\therefore r=\dfrac{15}{2}(cm)$

04 $\overline{OA}=\overline{OC}=5(cm)$
$\triangle OAM$에서 $\overline{AM}=\sqrt{5^2-3^2}=4(cm)$
$\therefore \overline{AB}=2\overline{AM}=8(cm)$

05 점 O에서 $\overline{AB}$에 내린 수선의 발을
M라 하면
$\overline{OA}=10(cm)$
$\overline{OM}=\dfrac{1}{2}\overline{OA}=5(cm)$
$\overline{AM}=\sqrt{10^2-5^2}=5\sqrt{3}(cm)$
$\therefore \overline{AB}=2\overline{AM}=10\sqrt{3}(cm)$

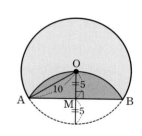

06 $\overline{CD}$는 현 AB의 수직이등분선이므
로 원의 중심을 O라 하면 $\overline{CD}$의
연장선은 점 O를 지난다.
오른쪽 그림의 직각삼각형 AOD
에서
$\overline{OD}=\sqrt{10^2-8^2}=6(cm)$
$\therefore \overline{CD}=10-6=4(cm)$

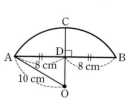

[다른 풀이]
$\overline{CD}=a$라 하면, $10^2=8^2+(10-a)^2$이므로
$a=16$ 또는 4가 된다.
$0<a<10$이므로 $a=4$

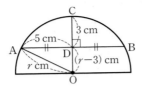
07 △ADO에서

$r^2=(r-3)^2+5^2$, $6r=34$

$\therefore r=\dfrac{17}{3}$(cm)

08 $\overline{BM}=\sqrt{10^2-8^2}=\sqrt{36}=6$(cm)

이때 $\overline{BM}=\overline{CM}$, $\overline{AB}=\overline{CD}$이므로

$\overline{DM}=\overline{CM}+\overline{CD}=\overline{BM}+\overline{AB}=6+3=9$(cm)

$\therefore \overline{OD}=\sqrt{8^2+9^2}=\sqrt{145}$(cm)

09 △OBM에서 $\overline{BM}=\sqrt{5^2-4^2}=3$(cm)

$\therefore \overline{AB}=2\overline{BM}=6$(cm)

이때 $\overline{OM}=\overline{ON}$이므로 $\overline{CD}=\overline{AB}=6$(cm)

10 □AMON에서

$\angle MAN=360°-(100°+90°+90°)=80°$

이때 $\overline{OM}=\overline{ON}$이므로 $\overline{AB}=\overline{AC}$

따라서 △ABC가 이등변삼각형이므로

$\angle ACB=\dfrac{1}{2}(180°-80°)=50°$

11 $\overline{OM}=\overline{ON}$이므로 $\overline{AB}=\overline{AC}$

즉, △ABC는 이등변삼각형이다.

$\therefore \angle B=\dfrac{1}{2}(180°-60°)=60°$

12 $\overline{OM}=\overline{ON}$이므로 $\overline{AB}=\overline{AC}$

즉, $\angle C=\angle B=72°$이므로

$\angle A=180°-2\times72°=36°$

따라서 □AMON에서

$\angle MON=360°-(90°+36°+90°)=144°$

13 △OMB에서

$\overline{BM}=10\cos30°=10\times\dfrac{\sqrt{3}}{2}=5\sqrt{3}$(cm)

이때 $\overline{AM}=\overline{BM}$이므로

$\overline{AB}=2\overline{BM}=2\times5\sqrt{3}=10\sqrt{3}$(cm)

따라서 $\overline{OM}=\overline{ON}$이므로

$\overline{CD}=\overline{AB}=10\sqrt{3}$(cm)

14 $\overline{OD}=\overline{OE}=\overline{OF}$이므로 $\overline{AB}=\overline{BC}=\overline{AC}$

따라서 △ABC는 정삼각형이고

$\overline{AD}=\overline{BD}=\dfrac{1}{2}\overline{AB}=9$(cm)

이때 △AOD≡△AOF (RHS 합동)이므로 $\angle OAD=30°$

$\cos30°=\dfrac{\sqrt{3}}{2}=\dfrac{\overline{AD}}{\overline{OA}}=\dfrac{9}{\overline{OA}}$

$\therefore \overline{AO}=6\sqrt{3}$(cm)

15 원의 지름이 $\overline{AB}=10$ cm이므로

원의 반지름은 $\overline{OC}=5$ cm

$\overline{OD}=5-3=2$(cm)

$\overline{CD}=\sqrt{5^2-2^2}=\sqrt{21}$(cm)

따라서 두 점 C, D를 지나는 현의 길이는

$2\overline{CD}=2\sqrt{21}$(cm)

16 원의 중심으로부터 같은 거리에 있는

두 현의 길이는 서로 같으므로

$\overline{AC}=\overline{AB}=8$ cm

점 A에서 $\overline{BC}$에 내린 수선의

발을 M이라 하면 △ABM에서

$\angle BAM=60°$, $\angle ABM=30°$

이므로

$\overline{AM}=8\sin30°=4$ cm, $\overline{BM}=4\sqrt{3}$ cm,

$\overline{BC}=2\overline{BM}=8\sqrt{3}$ cm

$\therefore △ABC=\dfrac{1}{2}\times8\sqrt{3}\times4$

$=16\sqrt{3}$(cm²)

4 원의 접선

본문 pp. 34~41

기본 체크

01 (1) 8 (2) 17

대표 예제

pp. 34~35

01 점 P에서 두 접점 A, C에 이르는 거리는 같으므로

$\overline{PC}=\boxed{\overline{PA}}=\boxed{4}$(cm)

마찬가지로 $\overline{QC}=\boxed{\overline{QB}}=\boxed{7}$(cm)

$\therefore \overline{PQ}=\overline{PC}+\overline{QC}=\boxed{4}+\boxed{7}=\boxed{11}$(cm)

02 $\overline{AB}$, $\overline{BC}$, $\overline{AC}$는 각각 원 O의 접선이므로

$\overline{CQ}=\boxed{\overline{CR}}=x$ cm, $\overline{AP}=\boxed{\overline{AR}}=\boxed{6-x}$(cm),

$\overline{BP}=\boxed{\overline{BQ}}=\boxed{10-x}$(cm)

이때 $\overline{AB}=\overline{AP}+\overline{BP}$이므로

$8=(\boxed{6-x})+(\boxed{10-x})$

$8=\boxed{16}-2x$, $2x=\boxed{8}$

$\therefore x=\boxed{4}$

03 원 O의 반지름의 길이를 x cm라 하면

$\overline{CE}=\overline{CF}=\boxed{x}\,\text{cm},\ \overline{AF}=\overline{AD}=\boxed{4}\,\text{cm}$

$\therefore \overline{AC}=\overline{AF}+\overline{CF}=\boxed{4+x}\,(\text{cm})$

또, $\overline{BE}=\overline{BD}=\boxed{6}\,\text{cm}$이므로

$\overline{BC}=\overline{BE}+\overline{CE}=\boxed{6+x}\,(\text{cm})$

따라서 직각삼각형 ABC에서

$\overline{AB}^2=\overline{AC}^2+\overline{BC}^2$이므로

$(6+4)^2=(\boxed{4+x})^2+(\boxed{6+x})^2$

$x^2+10x-\boxed{24}=0$

$(x+\boxed{12})(x-\boxed{2})=0$

$\therefore x=\boxed{2}\,(\text{cm})\ (\because x>0)$

04 원의 외부에 있는 한 점에서 원에 그은 두 접선의 길이는 같으므로

$\overline{AE}=\overline{AH},\ \overline{DG}=\overline{DH},\ \overline{BE}=\overline{BF},\ \overline{CG}=\overline{CF}$

$\therefore \overline{AB}+\overline{CD}=(\overline{AE}+\overline{BE})+(\overline{CG}+\overline{DG})$

$\qquad\qquad\qquad =(\boxed{AH}+\boxed{BF})+(\boxed{CF}+\boxed{DH})$

$\qquad\qquad\qquad =(\overline{AH}+\overline{DH})+(\overline{BF}+\overline{CF})$

$\qquad\qquad\qquad =\boxed{AD}+\boxed{BC}$

$\qquad\qquad\qquad =\boxed{10}\,\text{cm}$

어떤 교과서에나 나오는 문제   pp. 36~37

01 60°	02 ④	03 6	04 3 cm	05 5 cm
06 ②	07 ③	08 $48\sqrt{2}\,\text{cm}^2$		

01 △APB는 $\overline{PA}=\overline{PB}$인 이등변삼각형이므로

$\angle PAB=\dfrac{1}{2}(180°-60°)=60°$

02 $\angle OBP=90°$이므로

△POB는 직각삼각형

$\therefore \angle POB=60°$

$\overline{PB}=12\sin 60°=6\sqrt{3}$

이때 $\overline{PA}=\overline{PB}$이므로 $\overline{PA}=6\sqrt{3}\,(\text{cm})$

03 원의 외접사각형의 두 쌍의 대변의 길이의 합은 서로 같으므로

$\overline{AB}+\overline{CD}=\overline{AD}+\overline{BC}$에서

$8+7=5+(x+4)$

$\therefore x=6$

04 $\overline{AB}=\sqrt{12^2+9^2}=15\,(\text{cm})$

원 O의 반지름의 길이를 r라 하면

□ODCE는 정사각형이므로

$\overline{OE}=\overline{CD}=\overline{CE}=r\,\text{cm}$

$\overline{AE}=\overline{AF}=(9-r)\,\text{cm}$

$\overline{BD}=\overline{BF}=(12-r)\,\text{cm}$

이때 $\overline{AB}=\overline{AF}+\overline{BF}$이므로

$15=(9-r)+(12-r)$

$2r=6 \quad \therefore r=3\,(\text{cm})$

05 $\overline{BD}=\overline{BE},\ \overline{CF}=\overline{CE}$이므로

$\overline{AD}+\overline{AF}=\overline{AB}+\overline{BC}+\overline{CA}$

$\qquad\qquad =9+8+7=24\,(\text{cm})$

이때 $\overline{AD}=\overline{AF}$이므로 $\overline{AF}=12\,\text{cm}$

$\therefore \overline{CF}=\overline{AF}-\overline{AC}=12-7=5\,(\text{cm})$

06 $\overline{AF}+\overline{BD}+\overline{CE}=\dfrac{1}{2}(\overline{AB}+\overline{BC}+\overline{CA})$

$\qquad\qquad\qquad\qquad =\dfrac{1}{2}(9+10+7)$

$\qquad\qquad\qquad\qquad =13\,(\text{cm})$

07 $\overline{AD}=x$라 하면 $\overline{AD}=\overline{AF}=x$,

$\overline{BE}=\overline{BD}=8-x,\ \overline{CF}=\overline{CE}=14-x$

이때 $\overline{BC}=\overline{BE}+\overline{CE}$이므로

$(8-x)+(14-x)=12,\ 2x=10$

$\therefore x=5\,(\text{cm})$

08 $\overline{DE}=\overline{DA}=8\,\text{cm},\ \overline{CE}=\overline{CB}=4\,\text{cm}$이므로

$\overline{DC}=8+4=12\,(\text{cm})$

점 C에서 $\overline{AD}$에 내린 수선의 발을 H라 하면

△DHC에서

$\overline{DH}=8-4=4\,(\text{cm})$이므로

$\overline{HC}=\sqrt{12^2-4^2}=\sqrt{128}=8\sqrt{2}\,(\text{cm})$

$\therefore \overline{AB}=\overline{HC}=8\sqrt{2}\,\text{cm}$

$\therefore \square ABCD=\dfrac{1}{2}\times(8+4)\times 8\sqrt{2}=48\sqrt{2}\,(\text{cm}^2)$

시험에 꼭 나오는 문제   pp. 38~41

01 ④	02 ③	03 ②	04 ③	05 ③
06 ③	07 1 cm	08 ⑤	09 ②	10 ③
11 ⑤	12 ⑤	13 1 cm	14 ②	
15 $(16\pi-32)\,\text{cm}^2$	16 3π cm			

01 $\angle APB+\angle AOB=180°$이므로

$\angle AOB=180°-45°=135°$

$\therefore \overparen{AB}=2\pi\times 6\times\dfrac{135°}{360°}=\dfrac{9}{2}\pi\,(\text{cm})$

02 $\overline{PA}$는 접선이므로 $\overline{PA}\perp\overline{OA}$

$\overline{OA}=\overline{OB}=x$라 하면

△OPA에서 $(8+x)^2=x^2+12^2$

$16x+64=144$ $\therefore x=5(\text{cm})$

03 $\triangle PAO$와 $\triangle PBO$에서
$\overline{OA}=\overline{OB}$, $\overline{PO}$는 공통
$\angle PAO=\angle PBO=90°$이므로
$\triangle PAO\equiv\triangle PBO$
$\therefore \overline{PA}=\overline{PB}$, $\angle APO=\angle BPO$
또한, $\angle APB+\angle AOB=180°$

04 $\overline{BY}=\overline{BC}=3$ cm
$\overline{PX}=\overline{PY}=8+3=11(\text{cm})$
$\therefore \overline{AC}=\overline{AX}=\overline{PX}-\overline{PA}=11-7=4(\text{cm})$

05 점 A에서 $\overline{CD}$에 내린 수선의 발을
H라 하면
$\overline{AB}=\overline{AT}=x$
$\overline{DT}=\overline{DC}=9$
직각삼각형 AHD에서
$(x+9)^2=(9-x)^2+(6\sqrt{5})^2$
$x^2+18x+81=x^2-18x+81+180$
$36x=180$ $\therefore x=5(\text{cm})$

06 $\overline{CE}=\overline{CF}=x$라 하면
$\overline{AD}=\overline{AF}=9-x(\text{cm})$
$\overline{BD}=\overline{BE}=10-x(\text{cm})$
$\overline{AB}=\overline{AD}+\overline{BD}$이므로
$(9-x)+(10-x)=7$, $2x=12$
$\therefore x=6(\text{cm})$

07 내접원의 반지름을 r라 하고 원 O
와 $\overline{AB}$, $\overline{BC}$, $\overline{CA}$가 접하는 점을
각각 D, E, F라 하면
$\overline{BC}=\sqrt{5^2-3^2}=4(\text{cm})$
$\overline{AF}=\overline{AD}=(3-r)(\text{cm})$
$\overline{CF}=\overline{CE}=(4-r)(\text{cm})$
이때 $\overline{AC}=\overline{AF}+\overline{CF}$이므로
$5=(3-r)+(4-r)$, $2r=2$
$\therefore r=1(\text{cm})$

08 $\overline{AF}=\overline{AE}=r$라 하면
$\overline{AB}=6+r$, $\overline{AC}=4+r$이므로
$\triangle ABC$에서
$(6+r)^2+(4+r)^2=10^2$
$2r^2+20r+52=100$, $r^2+10r-24=0$
$(r+12)(r-2)=0$
$\therefore r=2(\text{cm})$ ($\because r>0$)

따라서 원의 둘레의 길이는 $2\pi\times2=4\pi(\text{cm})$

09 $\overline{AD}+\overline{BC}=\overline{AB}+\overline{DC}$이므로
$3x+(2x+2)=(4x-1)+2x$
$\therefore x=3$

10 내접원의 반지름의 길이가 5 cm이므로
$\overline{AB}=10$ cm이고
$\overline{AB}+\overline{DC}=\overline{AD}+\overline{BC}$에서
$10+11=\overline{AD}+12$ $\therefore \overline{AD}=9(\text{cm})$
$\therefore \overline{DP}=\overline{AD}-\overline{AP}=9-5=4(\text{cm})$

11 $\overline{DC}=\overline{AB}=4$ cm, $\overline{AS}=\overline{BQ}=\dfrac{1}{2}\overline{AB}=2(\text{cm})$이므로
$\overline{QC}=\overline{SD}=\overline{DR}=5$ cm
$\overline{QE}=x$라 하면
$\overline{EC}=5-x(\text{cm})$, $\overline{DE}=5+x(\text{cm})$
직각삼각형 DEC에서
$(5+x)^2=(5-x)^2+4^2$, $20x=16$
$\therefore x=\dfrac{4}{5}(\text{cm})$
따라서 $\overline{CE}=5-\dfrac{4}{5}=\dfrac{21}{5}(\text{cm})$이므로
$\triangle CDE=\dfrac{1}{2}\times\dfrac{21}{5}\times4=\dfrac{42}{5}(\text{cm}^2)$

12 점 E에서 $\overline{AB}$에 내린 수선의 발을 H라 하고 $\overline{CE}=\overline{EF}=x$라
놓으면
$\triangle AHE$에서
$(8-x)^2+8^2=(8+x)^2$
$32x=64$ $\therefore x=2(\text{cm})$
$\therefore \overline{AE}=\overline{AF}+\overline{FE}$
$=8+2=10(\text{cm})$

13 원의 중심과 접점을 이은 반지름은 접
선과 수직이므로
$\overline{OR}\perp\overline{PR}$, $\overline{OQ}\perp\overline{PQ}$
따라서 $\square OQPR$는 정사각형이므로
$\overline{OQ}=\overline{PQ}=3$ cm
직각삼각형 OQB에서
$\overline{QB}=\sqrt{5^2-3^2}=4(\text{cm})$이므로
$\overline{BP}=4-3=1(\text{cm})$

14 $\triangle DBC$에서 $\overline{DC}=\sqrt{15^2-12^2}=9(\text{cm})$
$\overline{AB}+\overline{CD}=\overline{AD}+\overline{BC}$이므로
$\overline{AB}+9=8+12$
$\therefore \overline{AB}=11(\text{cm})$

15 O에서 $\overline{AB}$에 내린 수선의 발을 M이
라 하면
$\overline{AM}=4$ cm
$\triangle$OMA는 $\overline{AM}=\overline{OM}=4$ cm인
직각이등변삼각형이므로
$\angle$AOM$=45°$, $\angle$AOB$=90°$
이때 큰 원의 반지름은
$\overline{OA}=\sqrt{4^2+4^2}=4\sqrt{2}$(cm)
$\triangle$AOB$=\dfrac{1}{2}\times4\sqrt{2}\times4\sqrt{2}=16$(cm^2)
(부채꼴 AOB의 넓이)$=\pi\times(4\sqrt{2})^2\times\dfrac{90°}{360°}=8\pi$(cm^2)
따라서 색칠한 부분의 넓이는
$2\times(8\pi-16)=16\pi-32$(cm^2)
[다른 풀이]

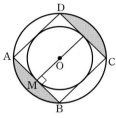

작은 원의 접선인 $\overline{AB}=\overline{BC}=\overline{DC}=\overline{AD}=8$ cm이므로
$\dfrac{(큰\ 원의\ 넓이)-(\square ABCD의\ 넓이)}{2}$
$=$(구하려는 색칠한 부분의 넓이)가 된다.
$\triangle$DBC는 직각이등변삼각형이므로 $\overline{BD}=\sqrt{8^2+8^2}=8\sqrt{2}$이고,
$\overline{BD}$는 큰 원의 지름이므로 큰 원의 넓이는 $(4\sqrt{2})^2\pi$이다.
따라서
(색칠한 부분의 넓이)$=\dfrac{32\pi-64}{2}=16\pi-32$(cm^2)

16 원 O′의 반지름의 길이는 3 cm
이므로 각 변의 길이는 오른쪽
그림과 같다.
$\overline{FG}=\overline{FE}=x$라 하면
$\overline{BF}=6-x$, $\overline{AF}=6+x$
이므로 직각삼각형 ABF에서
$(x+6)^2=6^2+(6-x)^2$,
$24x=36$ ∴ $x=\dfrac{3}{2}$(cm)
원 O의 반지름의 길이를 r라 하면
오른쪽 그림에서
$\dfrac{1}{2}\times6\times\dfrac{9}{2}=\dfrac{1}{2}\times r\times\left(\dfrac{15}{2}+6+\dfrac{9}{2}\right)$
$18r=\dfrac{54}{2}$ ∴ $r=\dfrac{3}{2}$(cm)
따라서 큰 원의 둘레의 길이는 6π cm, 작
은 원의 둘레의 길이는 3π cm이므로 길이의 차는 3π cm이다.

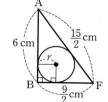

---

5 원주각 본문 pp. 42~49

기본 체크

01 (1) $\angle x=40°$, $\angle y=80°$ (2) $\angle x=240°$

02 (1) $40°$ (2) 6

대표 예제
pp. 42~43

01 $\angle x=\boxed{\dfrac{1}{2}}\angle$AOB$=\boxed{\dfrac{1}{2}}\times90°=\boxed{45°}$
$\triangle$OAB에서 $\overline{OA}=\overline{OB}$이므로
$\angle y=\dfrac{1}{2}(180°-\boxed{90°})=\boxed{45°}$

02 $\angle$ADB와 $\boxed{\angle ACB}$는 모두 $\overset{\frown}{AB}$에 대한 원주각이므로
$\angle$ADB$=\boxed{\angle ACB}$
한편, $\overline{AC}$는 원 O의 지름이므로 반원에 대한 원주각
$\angle$ABC의 크기는 $\boxed{90°}$이다.
이때 $\angle$BAC$=30°$이므로
$\angle$ACB$=180°-(\angle ABC+\angle BAC)$
$\qquad\quad=180°-(\boxed{90°}+30°)$
$\qquad\quad=\boxed{60°}$
∴ $\angle$ADB$=\boxed{\angle ACB}=\boxed{60°}$

03 중심각의 크기는 원주각의 크기의 $\boxed{2}$배이므로
$\angle x=\boxed{2}\times20°=\boxed{40°}$
한편, 원주각의 크기는 호의 길이에 정비례하고,
$\overset{\frown}{BC}=3\overset{\frown}{AB}$이므로
$\angle y=\boxed{3}\times20°=\boxed{60°}$

04 선분 PB를 그으면
$\angle$BPC$=\boxed{\dfrac{1}{2}}\angle$BOC$=\boxed{\dfrac{1}{2}}\times120°=\boxed{60°}$
한 원에서 호의 길이와 그 호에 대한 원주각의 크기는 서로 정비
례하므로
$3:9=\angle$APB$:\boxed{60°}$에서
$\angle$APB$=\boxed{20°}$
∴ $\angle x=\boxed{20°}+\boxed{60°}=\boxed{80°}$

어떤 교과서에나 나오는 문제　　　　pp. 44~45

01 ③	02 ④	03 ②	04 ④	05 65°
06 ③	07 ②	08 ④		

01 $\angle AOB = 2\angle APB = 2 \times 62° = 124°$

02 $\angle y = 2\angle BCD = 2 \times 128° = 256°$

$\angle x = \dfrac{1}{2}\angle BOD = \dfrac{1}{2}(360° - \angle y) = \dfrac{1}{2} \times 104° = 52°$

$\therefore \angle x + \angle y = 52° + 256° = 308°$

03 $\angle BDC = \angle BAC = 30°$

$\angle APD$는 $\triangle PDC$의 한 외각이므로 이웃하지 않는 두 내각의 합과 같다.

$\therefore \angle APD = 30° + 40° = 70°$

04 $\overset{\frown}{DC}$에 대한 원주각이므로

$\angle DBC = \angle DAC = 25°$

$\overset{\frown}{AB}$는 반원이므로 $\angle ACB = 90°$

$\therefore \angle BPC = 180° - (90° + 25°) = 65°$

05 $\overline{AC}$를 그으면

$\overline{AB}$가 지름이므로 $\angle ACB = 90°$

$\angle DOC$는 원주각 $\angle DAC$의 중심각이므로

$\angle DAC = \dfrac{1}{2}\angle DOC = \dfrac{1}{2} \times 50° = 25°$

$\therefore \angle APB = 180° - (25° + 90°) = 65°$

06 $\overset{\frown}{BC} = x$라 하면

$18° : 45° = 4\pi : (4\pi + x)$에서

$2 : 5 = 4\pi : (4\pi + x)$

$20\pi = 8\pi + 2x$　$\therefore \overset{\frown}{BC} = x = 6\pi$ (cm)

07 $\overline{BD}$를 그으면

$\angle ADB = \angle AEB = \angle x$

$\angle BDC = \dfrac{1}{2}\angle BOC$

$= \dfrac{1}{2} \times 68° = 34°$

$\angle ADB = 50° - 34° = 16°$

$\therefore \angle AEB = \angle ADB = 16°$

08 $\angle ABD + 35° = 95°$이므로

$\angle ABD = 60°$

호의 길이는 그 호에 대한 원주각의 크기에 정비례하므로

$\overset{\frown}{AD} : 60° = \overset{\frown}{BC} : 35°$

$\overset{\frown}{BC} = x$라 하면 $10 : 60° = x : 35°$

$x = \overset{\frown}{BC} = \dfrac{35}{6}$ (cm)

시험에 꼭 나오는 문제　　　　pp. 46~49

01 ①	02 ④	03 ③	04 ③	05 ⑤
06 ④	07 ②	08 100°	09 28π	10 ④
11 ①	12 ②	13 ③	14 ⑤	15 180°
16 32 m				

01 $\triangle OAB$는 정삼각형이므로 $\angle AOB = 60°$

$\therefore \angle ACB = \dfrac{1}{2}\angle AOB = \dfrac{1}{2} \times 60° = 30°$

02 $\angle QPR = 45°$이므로

$\angle QOR = 180° - 45° = 135°$

$\therefore \angle QSR = \dfrac{1}{2}\angle QOR = \dfrac{1}{2} \times 135° = 67.5°$

03 $\overline{AC}$가 원 O의 지름이므로 $\angle ABC = 90°$

$\angle CAD$와 $\angle CBD$는 $\overset{\frown}{CD}$의 원주각이므로

$\angle CBD = \angle CAD = 28°$

$\therefore \angle ABD = 90° - 28° = 62°$

04 $\overline{BD}$는 원 O의 지름이므로 $\angle BCD = 90°$

$\angle BDC = \angle BAC = 48°$

$\therefore \angle DBC = 180° - (90° + 48°) = 42°$

05 $\overset{\frown}{AC} = \overset{\frown}{BD}$이므로 $\angle ABC = \angle BCD = 27°$

$\therefore \angle DPB = \angle PBC + \angle PCB = 27° + 27° = 54°$

06 $\overset{\frown}{AD} = 2\overset{\frown}{BC}$이므로

$\angle ABD = 2\angle BAC = 2 \times 15° = 30°$

07 $\overset{\frown}{BD}$에 대한 원주각이므로

$\angle BAD = \angle BCD = 45°$

이때 $\overline{AB} /\!/ \overline{CD}$이므로

$\angle CDA = \angle BAD = 45° (\because 엇각)$

08 $\overset{\frown}{AC} : \overset{\frown}{BD} = \angle ABC : \angle BCD = 1 : 3$이므로

$25° : \angle BCD = 1 : 3$　$\therefore \angle BCD = 75°$

$\therefore \angle BPD = \angle PCB + \angle PBC = 75° + 25° = 100°$

09 $\overset{\frown}{BC}$에 대하여 $\angle CAB = \angle CA'B$

$\tan A = \tan A' = \dfrac{2\sqrt{3}}{3} = \dfrac{8}{A'B}$

$\therefore \overline{A'B} = 4\sqrt{3}$

$\overline{A'C} = \sqrt{(4\sqrt{3})^2 + 8^2} = \sqrt{112}$

$\quad = 4\sqrt{7}$

$\therefore$ 원 O의 반지름의 길이 $= 2\sqrt{7}$,

(원 O의 넓이) $= \pi \times (2\sqrt{7})^2 = 28\pi$

10 $\overparen{BC}$에 대하여 ∠BAC=∠BA′C

$\overline{A′C}=\sqrt{18^2-15^2}=\sqrt{324-225}$

　　　 $=\sqrt{99}=3\sqrt{11}$

∴ $\tan A=\dfrac{15}{3\sqrt{11}}$

　　　 $=\dfrac{15\sqrt{11}}{33}$

　　　 $=\dfrac{5\sqrt{11}}{11}$

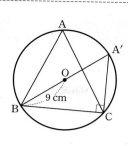

11 △AOB는 정삼각형이므로

∠BOC=180°-60°-20°=100°

$\overline{BD}$를 그으면

∠BDC=$\dfrac{1}{2}$∠BOC=50°

△BDP에서

∠ABD=∠APD+∠BDC이므로

90°=∠APD+50°

∴ ∠APD=40°

12 $\overparen{BC}=\overparen{CD}$이므로

∠BAC=∠CAD=15°

지름에 대한 원주각이므로

∠ABD=90°

따라서 △ABP에서

∠APD=∠ABD+∠BAC=90°+15°=105°

13 ∠BOR=2∠BQR=2×60°=120°

∠AOR=180°-120°=60°

∴ ∠APR=$\dfrac{1}{2}$∠AOR=30°

[다른 풀이]

$\overline{PB}$를 그으면 반원에 대한 원주각이므로

∠APB=90°

$\overparen{BR}$에 대한 원주각이므로 ∠RQB=∠RPB=60°

∴ ∠APR=90°-60°=30°

14 △OAB와 △OAC는 이등변삼각형이므로

∠OBA=∠OAB

∠OAC=∠OCA=10°

∴ ∠BAC=10°+∠ABO　　　… ㉠

이때 ∠BAC는 $\overparen{BC}$에 대한 원주각이므로

∠BAC=$\dfrac{1}{2}$∠BOC=$\dfrac{1}{2}$×150°=75°　　　… ㉡

㉠, ㉡에서 10°+∠ABO=75°

∴ ∠ABO=65°

15 ∠A+∠B+∠C+∠D+∠E

　　 $=\dfrac{1}{2}$(∠COD+∠DOE+∠EOA+∠AOB+∠BOC)

　　 $=\dfrac{1}{2}$×360°=180°

16 원의 중심을 O라 하면

∠COB=2∠CAB=60°

$\overline{OC}=\overline{OB}$

즉, △COB는 정삼각형이다.

따라서 $\overline{OB}=\overline{CB}$=16(m)이므로

(지름의 길이)=2$\overline{OB}$=32(m)

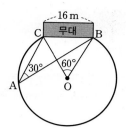

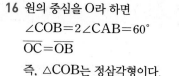

6 원주각의 활용　　　본문 pp. 50~57

기본 체크

01 (1) ∠x=105°, ∠y=80°　(2) ∠x=85°, ∠y=70°

02 ∠x=40°, ∠y=80°

대표 예제　　　pp. 50~51

01 네 점이 한 원 위에 있으므로 ∠DCA=∠ ABD = 35 °

∠BAC+∠ABD= 110 °이므로

∠BAC= 75 °

02 오른쪽 그림과 같이 사각형 ABCD가 원 O에 내접하면 원주각과 중심각 사이의 관계에서

∠A=$\dfrac{1}{2}$∠a, ∠C=$\dfrac{1}{2}$∠b

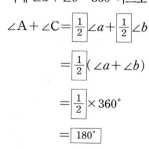

이때 ∠a+∠b=360°이므로

∠A+∠C=$\dfrac{1}{2}$∠a+$\dfrac{1}{2}$∠b

　　　 $=\dfrac{1}{2}$(∠a+∠b)

　　　 $=\dfrac{1}{2}$×360°

　　　 = 180°

마찬가지 방법으로 ∠B+∠D= 180°

따라서 원에 내접하는 사각형의 한 쌍의 대각의 크기의 합은 180°이다.

03 원에 내접하는 사각형에서 한 쌍의 대각의 크기의 합은 180° 이므로 ∠A+∠DCB= 180°

평각의 크기는 180° 이므로

∠DCE+∠DCB= 180°

∴ ∠DCE=∠A

01 △ABD에서 ∠A = $180° - (35° + 70°) = 75°$

□ABCD가 원에 내접하므로 ∠C + ∠A = $180°$

∴ ∠C = $180° - 75° = 105°$

02 ∠BAD = $\frac{1}{2}$∠BOD = $\frac{1}{2} \times 166° = 83°$

□ABCD가 원에 내접하므로

∠DCE = ∠BAD = $83°$

03 오른쪽 그림과 같이 $\overline{AD}$를 그으면 육각형은 원에 내접하는 사각형 2개로 나뉜다.

□ABCD에서

∠BAD = $180° - 110° = 70°$

□ADEF에서

∠FAD = $180° - 100° = 80°$

∴ ∠A = ∠BAD + ∠FAD

　　= $70° + 80° = 150°$

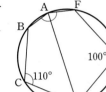

04 ∠ABC = $180° - (64° + 37°) = 79°$

∴ ∠CAT = ∠ABC = $79°$

05 ∠ACB = ∠BAT = $52°$

△CAB는 $\overline{CA} = \overline{CB}$인 이등변삼각형이므로

∠CBA = ∠CAB

∴ ∠ABC = $\frac{1}{2}(180° - 52°) = 64°$

06 ∠x = ∠ACD = $40°$

∠y = ∠CAD = $35°$

∴ ∠x − ∠y = $40° - 35° = 5°$

07 ∠BAC는 반원의 원주각이므로 $90°$

∠D + ∠B = $180°$이므로 ∠B = $60°$

$\overline{AC}$를 그으면

∠BAC = $90°$

∴ ∠BCA = $30°$

$\sin 30° = \frac{1}{2} = \dfrac{\overline{AB}}{\overline{BC}}$

∴ $\overline{BC} = 6$

(원 O의 반지름) = 3

(원 O의 넓이) = 9π

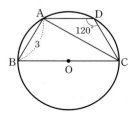

08 ∠ACB = ∠BAT

∠ACB : ∠BAC : ∠ABC = $5 : 4 : 3$

∴ ∠ACB = $180° \times \dfrac{5}{5+4+3} = 75°$

01 △ABC에서 ∠BAC = $30°$이고, $\overline{AB} = \overline{AC}$이므로

∠ABC = ∠ACB = $\frac{1}{2}(180° - 30°) = 75°$

이때 □ABCD가 원에 내접하므로

∠ABC + ∠D = $180°$

∴ ∠D = $180° - 75° = 105°$

02 □ABCD가 원에 내접하므로

∠ADC = ∠ABE = $65°$

∴ ∠AOC = 2∠ADC = $2 \times 65° = 130°$

03 △ACD의 내각의 합이 $180°$이므로

∠ADC = $180° - (25° + 38°) = 117°$

이때 □ABCD가 원에 내접하므로

∠ABE = ∠ADC = $117°$

04 □ABCD가 원에 내접하므로

∠ADQ = ∠B

∠QAD = ∠B + 33°

∴ △ADQ에서

$21° + ∠QAD + ∠ADQ$

$= 21° + ∠B + 33° + ∠B$

$= 180°$

∴ ∠B = $63°$

05 ① 대각의 크기의 합이 $84° + 96° = 180°$이므로 내접한다.

② 대각의 크기의 합이 $130° + 40° = 170°$이므로 내접하지 않는다.

③ ∠BCD = $60°$이므로 내각의 크기의 합이 $180°$이므로 내접한다.

④ 내접한지 알 수 없다.

⑤ ∠BAD = ∠BCD = $180° - 80° = 100°$이므로 내각의 크기의 합이 $200°$로 내접하지 않는다.

06 ∠ACB = ∠BAT = $80°$

∴ ∠AOB = 2∠ACB = $2 \times 80° = 160°$

07 $\overleftrightarrow{PQ}$가 두 원의 접선이고,
점 T가 그 접점이므로 $\overline{AB}\,\textbf{//}\,\overline{DC}$
$\angle ABT=\angle TDC=49°$ (∵ 엇각)
△ABT에서
$\angle ABT+\angle BAT+\angle ATB=180°$이므로
$49°+45°+\angle ATB=180°$
$∴\ \angle ATB=86°$

08 직선 PQ가 두 원의 접선이므로 $\overline{AB}\,\textbf{//}\,\overline{DC}$
$\angle BAT=\angle CDT\,(동위각)=\angle BTQ=68°$
△TDC가 $\overline{TC}=\overline{TD}$인 이등변삼각형이므로
$\angle TCD=\angle CDT=68°$
$∴\ \angle CTD=180°-(68°+68°)=44°$

09 $\overline{AD}=\overline{BC}$이므로 $\overparen{AD}=\overparen{BC}$
$∴\ \angle ABD=\angle BAC=60°$

10 $\angle B+\angle D=210°$이므로
$\angle ABE+\angle EBC+\angle D=210°$
$\angle EBC+\angle D=180°$이므로
$\angle ABE=30°$
$\angle ABE$는 $\overparen{AE}$의 원주각이고,
$\angle AOE$는 $\overparen{AE}$의 중심각이므로 60°

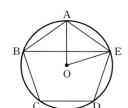

11 $\overparen{AT}$의 원주각이므로 그림과 같이
$\angle ABT=\angle AB'T$
$\overline{PT}$가 원 O의 접선이므로
$\angle x=\angle ABT=\angle AB'T$
$\tan x=\dfrac{5}{6}=\dfrac{\overline{AT}}{\overline{B'T}}=\dfrac{10}{\overline{B'T}}$
$∴\ \overline{B'T}=12$
$\overline{AB'}=\sqrt{10^2+12^2}=\sqrt{244}=2\sqrt{61}$
그러므로 원 O의 반지름은 $\sqrt{61}$, 넓이는 61π

12 $\overline{PQ}$를 그리면
$\angle D+\angle PQC=180°$
$\angle PQC=80°=\angle x$

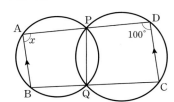

13 △CPD에서 $\angle BPC=\angle PDC+\angle PCD$이므로
$110°=\angle PDC+80°$ $∴\ \angle PDC=30°$
이때 네 점 A, B, C, D는 한 원 위의 점이므로
$\angle A=\angle PDC=30°$

14 선분 BT를 그리면
$\angle ATB$는 반원의
원주각이므로 90°
$\angle ABT$
$=180°-(90°+35°)$
$=55°$
$\angle BTP=\angle BAT=35°$
$\angle BPT+\angle BTP=\angle ABT$이므로
$\angle BPT+35°=55°$
$∴\ \angle BPT=20°$

15 직선 PQ가 두 원의 접선이므로
$\angle BAT=\angle BTQ=\angle CDT=75°$
$∴\ \angle ATB=180°-(59°+75°)=46°$

16 $\angle ATB=90°$
$\angle ATP=\angle PBT=30°$
$4\sin30°=\overline{AT}=2\,(cm)$
$\overline{BT}=\sqrt{(\overline{AB}^2)-(\overline{AT}^2)}$
$\quad\ =\sqrt{4^2-2^2}=2\sqrt{3}$
$∴\ △ATB=\dfrac{1}{2}\times2\times2\sqrt{3}=2\sqrt{3}\,(cm^2)$

단원종합문제 본문 pp. 58~61

01 ②	02 ③	03 ②	04 ①	05 ③
06 ③	07 ②	08 ①	09 ④	10 ③
11 ③	12 ④	13 ⑤	14 ③	15 45°
16 ②	17 105°	18 ②	19 $\dfrac{7\sqrt{33}}{11}$ cm	
20 48 cm	21 4π cm²	22 65°	23 $\dfrac{3}{4}$	
24 25cm				

01 $\overline{AD}\,\textbf{//}\,\overline{OC}$이므로
$\angle ADO=\angle DOC$ (엇각)
$=\angle DAO=x$라 하면
$2x=x+36°$이므로
$x=36°$
△ADO에서
$\angle AOD=180°-2x=108°$
$\overparen{AD}:108°=\overparen{BC}:36°$이므로
$\overparen{BC}=4\,(cm)$

02 $\angle DOB=\angle DPB=30°$이고
$\angle ODC=\angle DOP+\angle DPO=60°$이므로
△OCD에서 $\angle COD=60°$
$\angle AOC=180°-(\angle COD+\angle BOD)$
$\qquad\ \ =180°-(60°+30°)=90°$
$∴\ \overparen{AC}=2\pi\times4\times\dfrac{90°}{360°}=2\pi\,(cm)$

03 현의 성질의 의해 $\overline{MB}=\overline{MA}=4$ cm
$\overline{OB}=x$라 하면 $\overline{OM}=x-3$이므로
△OBM에서 $x^2=4^2+(x-3)^2$
$x^2=16+x^2-6x+9,\ 6x=25$
$∴\ \overline{OB}=x=\dfrac{25}{6}\,(cm)$

04 $\overline{AD}=\overline{BD}=\dfrac{1}{2}\overline{AB}=6$ cm
원의 반지름을 r라 하면
$r^2=(r-5)^2+6^2,\ 10r=61$
$∴\ r=6.1\,(cm)$

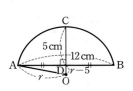

05 △OMB에서

$\overline{MB}=\sqrt{7^2-3^2}=2\sqrt{10}(cm)$

$\therefore \overline{AB}=2\overline{MB}=4\sqrt{10}(cm)$

06 $\overline{AD}=x$라 하면

$\overline{BE}=\overline{BD}=(10-x)cm$

$\overline{CE}=\overline{CF}=(9-x)cm$

이때 $\overline{BC}=\overline{BE}+\overline{CE}$이므로

$11=(10-x)+(9-x)$, $2x=8$

$\therefore x=4(cm)$

07 $\overline{OO'}=2+5=7(cm)$

점 O에서 $\overline{O'B}$에 내린 수선의 발을 H라 하면

$\overline{BH}=2\ cm$, $\overline{O'H}=3\ cm$이므로

$\overline{AB}=\overline{OH}=\sqrt{7^2-3^2}=2\sqrt{10}(cm)$

$\therefore \overline{CP}=\overline{AC}=\overline{BC}=\dfrac{1}{2}\overline{AB}=\sqrt{10}(cm)$

08 $\angle BOC=2\angle BDC=20°$

$\angle AOC=120°+20°=140°$

$\therefore \angle AEC=\dfrac{1}{2}\angle AOC=\dfrac{1}{2}\times140°=70°$

[다른 풀이]

$\overline{BE}$를 그으면

$\angle AEB=\dfrac{1}{2}\angle AOB=60°$

$\overparen{BC}$에 대한 원주각이므로 $\angle BEC=\angle BDC=10°$

$\therefore \angle AEC=\angle AEB+\angle BEC=60°+10°=70°$

09 $\overline{CE}=\sqrt{15^2-12^2}=9(cm)$

$\overline{BE}=x$라고 하면

$\overline{AD}=\overline{BC}=(x+9)cm$

이때 □ABED가 원 O에 외접하므로

$\overline{AB}+\overline{DE}=\overline{AD}+\overline{BE}$에서

$12+15=(x+9)+x$, $2x=18$

$\therefore x=9(cm)$

10 ③ $\angle D=180°-60°-50°=70°$

$\angle B+\angle D=110°+70°=180°$

이므로 □ABCD는 원에 내접한다.

11 $\angle ABC=30°+60°=90°$

이때 □ABCD가 원에 내접하면

$\angle ADC+\angle ABC=180°$이므로

$\angle ADC=180°-\angle ABC=90°$

$\therefore \angle ADB=90°-60°=30°$

$\therefore \angle BAT=\angle ADB=30°$

12 △ADC에서

$\angle CAD=180°-40°-105°=35°$

네 점 A, B, C, D가 한 원 위에 있으므로

$\angle BAC=\angle BDC=75°$

$\therefore \angle x=\angle BAC+\angle CAD=75°+35°=110°$

$\angle y=\angle BAC+\angle ACB=75°+30°=105°$

$\therefore \angle x+\angle y=110°+105°=215°$

13 $\angle ADC=\angle x$라 하면 $\angle B=180°-\angle x$

△BEC에서

$\angle DCF=30°+(180°-\angle x)=210°-\angle x$

$\angle CDF=180°-\angle x$

△DCF에서

$(210°-\angle x)+(180°-\angle x)+40°=180°$

$250°=2\angle x$ $\therefore \angle x=125°$

14 $\angle x=\angle CBT=50°$

$\angle y=2\angle x=100°$

$\therefore \angle x+\angle y=150°$

15

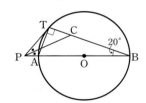

$\overline{AT}$를 그으면

$\angle PTA=\angle TBA=20°$

△TAB에서 $\angle TAB+\angle BTA+\angle TBA=180°$이므로

$\angle TAB+90°+20°=180°$

$\therefore \angle TAB=70°$

△TPA에서 $\angle PTA+\angle TPA=\angle TAB$

이므로 $20°+2\bullet=70°$ $\therefore \bullet=25°$

△TPC에서 $\angle TPC+\angle PTC+\angle TCP=180°$이므로

$25°+20°+90°+\angle TCP=180°$

그러므로 $\angle TCP=45°$

16 $\angle DAT=\angle ACD=\dfrac{1}{2}\angle ACB=25°$

17 그림과 같이 $\overline{EF}$를 그으면

$\angle EAB=\angle EBA=50°$

$\angle BCF=\angle FBC=25°$

$\angle EBA+\angle ABC+\angle FBC$

$=180°$

$\therefore \angle ABC$

$=180°-(50°+25°)=105°$

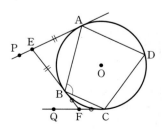

18 등변사다리꼴, 직사각형, 정사각형은 대각의 크기의 합이 180°
인 항상 원에 내접하는 사각형이다.

19 △ABC가 이등변삼각형이므로

$\overline{BM} = \frac{1}{2}\overline{BC} = 4\,(cm)$

$\overline{BP} = \overline{BM} = 4\,cm$

$\overline{AP} = 3\,cm$

$\overline{AM} = \sqrt{7^2 - 4^2} = \sqrt{33}\,(cm)$

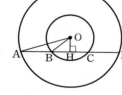

이때 △APO와 △AMB에서

∠A는 공통, ∠APO = ∠AMB = 90°이므로

△APO∽△AMB

즉, $\overline{AM} : \overline{AP} = \overline{AB} : \overline{AO}$에서

$\sqrt{33} : 3 = 7 : \overline{AO}$

$\therefore \overline{AO} = \frac{21}{\sqrt{33}} = \frac{7\sqrt{33}}{11}\,(cm)$

20 ∠ATO = 90°이므로 △ATO에서

$\overline{AT} = \sqrt{25^2 - 7^2} = 24\,(cm)$

$\therefore (\triangle ABC의 \ 둘레의 \ 길이) = \overline{AC} + \overline{BC} + \overline{AB} = \overline{AT} + \overline{AT'}$
$= 2\overline{AT} = 2 \times 24$
$= 48\,(cm)$

21 큰 원의 반지름의 길이를 a, 작은 원
의 반지름의 길이를 b라 하면

$a + b = 8$ ······ ㉠

점 O에서 $\overline{AD}$에 내린 수선의 발을
H라 하면

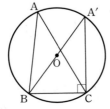

$\overline{AH} = \frac{1}{2}(4 + 4 + 4) = 6\,(cm)$

△OAH와 △OBH에서

$\overline{OH}^2 = a^2 - 6^2 = b^2 - 2^2$

$\therefore a^2 - b^2 = 32$

즉, $(a+b)(a-b) = 32$에서 $a+b = 8$이므로

$a - b = 4$ ······ ㉡

㉠, ㉡을 연립하여 풀면 $a = 6$, $b = 2$

$\therefore (작은 \ 원의 \ 넓이) = \pi \times 2^2 = 4\pi\,(cm^2)$

22 ∠BTQ = ∠BAT = 60°

∠CDT = ∠BTQ = 60°

따라서 △CDT에서

∠DTC = 180° − (60° + 55°) = 65°

23 $\overline{A'B} = (지름) = 10$

$\overline{A'B}^2 = 6^2 + \overline{A'C}^2$, $100 = 36 + \overline{A'C}^2$

$\therefore \overline{A'C}^2 = 64$, $\overline{A'C} = 8$

$\tan A = \frac{\overline{BC}}{\overline{A'C}} = \frac{6}{8} = \frac{3}{4}$

24

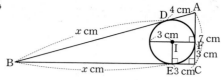

그림과 같이 원 I와 $\overline{AB}$, $\overline{BC}$, $\overline{CA}$가 접하는 점을 각각 D, E,
F라 할 때,

$\overline{AF} = \overline{AD} = 4\,cm$,

$\overline{BD} = \overline{BE} = x\,cm$

△ABC에서

$\overline{AC}^2 + \overline{BC}^2 = \overline{AB}^2$이므로

$7^2 + (x+3)^2 = (x+4)^2$

$2x = 42$, $x = 21$

$\therefore \overline{AB} = 25\,(cm)$

Ⅲ. 통계

7 대푯값
본문 pp. 62~69

기본 체크

01 (1) 36 (2) 72

02 (1) 69 (2) 7

대표 예제
pp. 62~63

01 (1) 자료를 작은 값부터 크기순으로 나열하면 30, 380, 440, 500, 510이고, 자료의 개수가 $\boxed{5}$ 로 $\boxed{홀수}$ 이다.

따라서 중앙값은 중앙에 위치한 값 $\boxed{440}$ 이다.

(2) 자료를 작은 값부터 크기순으로 나열하면 19, 21, 29, 33, 35, 66이고, 자료의 개수가 $\boxed{6}$ 으로 $\boxed{짝수}$ 이다.

따라서 중앙값은 중앙에 위치한 두 값인 $\boxed{29}$, $\boxed{33}$ 의 평균인 $\dfrac{\boxed{29}+\boxed{33}}{2}=\boxed{31}$ 이다.

02 x를 제외한 나머지 변량을 작은 값부터 크기순으로 나열하면 4, 5, 10, 11, 17, 18, 32

이때 중앙값이 13이므로 x는 $\boxed{11}$ 과 $\boxed{17}$ 사이의 수이다.

즉, $\dfrac{\boxed{11}+x}{2}=13$에서 $x=\boxed{15}$

03 도수분포표에서 학생 100명의 통학 시간을 작은 값부터 크기순으로 나열하면 중앙에 위치한 50번째와 51번째 학생은 $\boxed{10}$ 분 이상 $\boxed{15}$ 분 미만인 계급에 속해 있다.

따라서 구하는 중앙값은 이 계급의 계급값인 $\boxed{12.5}$ 분이다.

또, $\boxed{15}$ 분 이상 $\boxed{20}$ 분 미만인 계급의 도수가 가장 크므로 최빈값은 이 계급의 계급값인 $\boxed{17.5}$ 분이다.

04 (평균)$=\dfrac{65\times3+75\times8+85\times4+95\times5}{\boxed{20}}$

$=\boxed{80.5}$(점)

도수분포표에서 작은 값부터 크기순으로 10번째와 11번째는 모두 $\boxed{70}$ 점 이상 $\boxed{80}$ 점 미만인 계급에 속해 있으므로 중앙값은 이 계급의 계급값인 $\dfrac{70+80}{2}=\boxed{75}$(점)이다.

또, 도수가 가장 큰 계급은 $\boxed{70}$ 점 이상 $\boxed{80}$ 점 미만인 계급이

므로 최빈값은 이 계급의 계급값인 $\boxed{75}$ 점이다.

$\therefore a=\boxed{80.5}$, $b=\boxed{75}$, $c=\boxed{75}$

어떤 교과서에나 나오는 문제
pp. 64~65

| 01 ④ | 02 17 | 03 ⑤ | 04 9 | 05 13 |
| 06 27 | 07 ③ | **08 중앙값 : 75점, 최빈값 : 85점** | | |

01 ④ 변량이 짝수일 때, 중앙값은 주어진 자료 중에 존재하지 않을 수도 있다.

02 중앙값이 17이므로 $12 \le a \le 25$이고

$\dfrac{12+a}{2}=17$에서 $a=22$

$\therefore$ (평균)$=\dfrac{25+9+12+22}{4}=17$

03 자료의 값을 작은 것부터 차례로 나열하여 중앙값, 최빈값을 각각 구하면

① 1, 2, 3, 4, 5, 8

중앙값 : 3.5, 최빈값 : 없다

② 1, 2, 4, 6, 6, 7

중앙값 : 5, 최빈값 : 6

③ 1, 3, 3, 4, 4, 5

중앙값 : 3.5, 최빈값 : 3, 4

④ 1, 2, 3, 4, 5, 7, 8

중앙값 : 4, 최빈값 : 없다

⑤ 1, 1, 2, 4, 4, 4, 8

중앙값 : 4, 최빈값 : 4

04 주어진 자료의 최빈값이 9이므로 평균도 9이다.

즉, $\dfrac{12+9+x+9+7+9+8}{7}=9$에서

$\dfrac{54+x}{7}=9$, $54+x=63$

$\therefore x=9$

05 8, 10, 11, 13, x에서 중앙값이 11이므로 평균도 11이다.

즉, $\dfrac{8+10+11+13+x}{5}=11$에서

$\dfrac{42+x}{5}=11$, $42+x=55$

$\therefore x=13$

06 $2+3+5+x+7=20$이므로 $x=3$

$a=\dfrac{12+21+40+27+70}{20}=8.5$

도수가 가장 큰 점수는 10이므로 $b=10$

$\dfrac{20}{2}=10$, $\dfrac{20}{2}+1=11$이므로 중앙값은 작은 값부터 크기순으로 나열하면 10번째와 11번째 자료이다.

10번째 자료의 점수는 8, 11번째 자료의 점수는 9이므로

$c=\dfrac{8+9}{2}=8.5$

$\therefore a+b+c=8.5+10+8.5=27$

07 $\dfrac{x_1+x_2+\cdots+x_5}{5}=10$이므로

$x_1+x_2+\cdots+x_5=50$

따라서 $2x_1+1$, $2x_2+2$, $\cdots$, $2x_5+5$의 평균은

(평균)

$=\dfrac{(2x_1+1)+(2x_2+2)+(2x_3+3)+(2x_4+4)+(2x_5+5)}{5}$

$=\dfrac{2(x_1+x_2+x_3+x_4+x_5)+15}{5}$

$=\dfrac{2\times50+15}{5}=23$

08 $\dfrac{30}{2}=15$, $\dfrac{30}{2}+1=16$이므로 중앙값은 작은 값부터 크기순으로 나열하면 15번째와 16번째 자료가 속하는 계급 70~80의 계급값인

$\dfrac{70+80}{2}=75$(점)

최빈값은 도수가 가장 큰 계급 80~90의 계급값인

$\dfrac{80+90}{2}=85$(점)

시험에 꼭 나오는 문제

pp. 66~69

01 중앙값 : 16분, 최빈값 : 21분		**02** 민서	**03** 재희
04 $M+3$	**05** ③	**06** 39회	**07** ④	**08** 34
09 수박	**10** ②	**11** 9	**12** ③	**13** 19
14 ⑤	**15** 91, 92, 93, 94	**16** 70점		

01 주어진 자료를 작은 값부터 크기순으로 나열하면

3, 5, 8, 12, 14, 15, 15, 16, 16, 21, 21, 21, 26, 32, 32

이므로 중앙값은 8번째 값인 16분이고, 최빈값은 가장 많이 나오는 값인 21분이다.

02 민서의 평균을 구하면

$\dfrac{26+28+36+34+26}{5}=\dfrac{150}{5}=30$(회)

재희의 평균을 구하면

$\dfrac{32+22+30+24+32}{5}=\dfrac{140}{5}=28$(회)

따라서 민서의 평균이 더 크다.

03 민서의 횟수를 크기순으로 나열하면 26, 26, 28, 34, 36이므로 중앙값은 28회이다.

재희의 횟수를 크기순으로 나열하면 22, 24, 30, 32, 32이므로 중앙값은 30회이다.

따라서 재희의 중앙값이 더 크다.

04 세 수 a, b, c의 평균이 M이므로

$M=\dfrac{a+b+c}{3}$, $a+b+c=3M$

따라서 세 수 $a+3$, $b+3$, $c+3$의 평균은

(평균) $=\dfrac{(a+3)+(b+3)+(c+3)}{3}$

$=\dfrac{(a+b+c)+9}{3}=\dfrac{3M+9}{3}=\dfrac{3(M+3)}{3}$

$=M+3$

05 자료 전체의 중심적인 경향이나 특징을 대표적인 하나의 수로 나타낸 값을 대푯값이라고 한다.

대푯값에는 평균, 중앙값, 최빈값이 있다.

ㄷ. 최빈값에 대한 설명

따라서 옳은 것은 ㄱ, ㄴ이다.

06 학생 16명이 1분 동안 줄넘기를 한 횟수를 작은 값부터 차례로 나열할 때, 8번째와 9번째 학생의 횟수의 평균이 중앙값이므로 8번째 학생의 줄넘기 횟수를 x회라고 하면

$\dfrac{x+41}{2}=39$ $\therefore x=37$

이때 줄넘기 횟수가 39회인 학생이 들어오면 이 학생은 17명 중 9번째 학생이 되므로 17명의 줄넘기 횟수의 중앙값은 39회이다.

07 평균은 극단적인 값이 없는 자료에서 대푯값으로 유용하며 극단적인 값이 있는 경우에는 중앙값이 대푯값으로 적절하다.

또한, 인기도 또는 성향 등을 파악할 때에는 최빈값이 적절하다.

④ 극단적인 값 1000이 있으므로 평균은 202로서 자료의 특징을 나타내는데 한계가 있다.

중앙값을 대푯값으로 사용하는 것이 적절하다.

08 최빈값이 12이고 9가 2개이므로 a, b, c 중 적어도 두 수는 12이어야 한다.

$a=12$, $b=12$라 하고, c를 제외한 7개의 변량을 크기순으로 나열하면

8, 9, 9, 12, 12, 12, 14

중앙값이 11이므로 $9<c<12$이어야 하고

$\dfrac{c+12}{2}=11$ $\therefore c=10$

$\therefore a+b+c=12+12+10=34$

09 학생 수가 가장 많은 것은 수박이다.

따라서 최빈값은 수박이다.

10 도수분포표에서 중앙에 있는 두 값인 15번째와 16번째는 모두 70 이상 80 미만인 계급에 속하므로 중앙값은 이 계급의 계급값 인 75(점)이다.

$$(\text{평균}) = \frac{55 \times 3 + 65 \times 6 + 75 \times 10 + 85 \times 7 + 95 \times 4}{30}$$

$$= \frac{2280}{30} = 76(\text{점})$$

$$\therefore a - b = 75 - 76 = -1$$

11 x를 제외한 나머지 수를 작은 값부터 크기순으로 나열하면
3, 5, 6, 13, 14, 16, 17
중앙값이 11이므로 x는 6과 13 사이의 수이다.

$$11 = \frac{x+13}{2} \quad \therefore x = 9$$

12 $\dfrac{12+8+7+a}{4} = 11$이므로

$$27 + a = 44 \quad \therefore a = 17$$

$$\therefore (\text{중앙값}) = \frac{8+12}{2} = 10$$

13 (가)의 자료 중 a를 제외한 수들을 크기순으로 나열하면
12, 15, 19, 24이고, 중앙값이 19이므로 $a \geq 19$
(나)의 자료 중 a를 제외한 수들을 크기순으로 나열하면

14, 19, 21, 22, 28이고, 중앙값이 20이므로 $\dfrac{a+21}{2} = 20$,

$$a = 19 \quad \therefore a = 19$$

14 도수의 총합이 20이므로
$4+8+A+B+2 = 20$

$$\therefore A+B = 6 \quad \cdots\cdots \ \text{㉠}$$

평균이 5시간이므로

$$\frac{2 \times 4 + 4 \times 8 + 6 \times A + 8 \times B + 10 \times 2}{20} = 5$$

$$6A + 8B = 40$$

$$\therefore 3A + 4B = 20 \quad \cdots\cdots \ \text{㉡}$$

㉠, ㉡을 연립하여 풀면 $A=4$, $B=2$

$$\therefore A - B = 2$$

15 86점, 89점, 91점, x점의 중앙값은 90점이므로 $x \geq 91$
평균이 90점 이하이므로

$$\frac{86+89+91+x}{4} \leq 90, \ 266 + x \leq 360 \quad \therefore x \leq 94$$

따라서 $91 \leq x \leq 94$이므로 자연수 x는 91, 92, 93, 94이다.

16 도수의 합이 20명이므로
$2+a+b+6+3 = 20$

$$\therefore a+b = 9 \quad \cdots\cdots \ \text{㉠}$$

평균이 62점이므로

$$\frac{40 \times 2 + 50 \times a + 60 \times b + 70 \times 6 + 80 \times 3}{20} = 62$$

$$50a + 60b + 740 = 1240$$

$$\therefore 5a + 6b = 50 \quad \cdots\cdots \ \text{㉡}$$

㉠, ㉡을 연립하여 풀면 $a=4$, $b=5$
따라서 70점인 도수가 6명으로 가장 많으므로 최빈값은 70점이다.

---

8 산포도
본문 pp. 70~77

기본 체크

01 (1) 산포도 (2) 편차 (3) 분산, 표준편차

02 -3

대표 예제
pp. 70~71

01 편차의 합은 $\boxed{0}$이므로

$$-3 + 1 - 2 + 0 + x = \boxed{0}$$

$$\therefore x = \boxed{4}$$

학생 A의 키가 165 cm이고 편차가 -3이므로
평균은 $\boxed{168}$ cm이다.
따라서 학생 E의 편차가 $\boxed{4}$이고, 평균이 $\boxed{168}$ cm이므로
학생 E의 키는 $\boxed{172}$ cm이다.

02 $(\text{평균}) = \dfrac{136+137+135+139+143}{5}$

$$= \frac{690}{5} = 138(\text{km/시})$$

각 변량의 편차와 편차의 제곱을 구하면

변량	136	137	135	139	143	합계
편차	-2	-1	-3	1	5	0
(편차)^2	4	1	9	1	25	40

따라서 분산과 표준편차를 구하면

$$(\text{분산}) = \frac{\boxed{40}}{5} = \boxed{8}$$

$$(\text{표준편차}) = \sqrt{(\text{분산})} = \sqrt{\boxed{8}} = \boxed{2\sqrt{2}}\ (\text{km/시})$$

03 다음 표에서 평균은 $\dfrac{1200}{40}=\boxed{30}$ (mg)

비타민C (mg)	도수 (개)	계급값	(계급값)×(도수)	편차	(편차)²×(도수)
$0^{이상}\sim10^{미만}$	6	5	5×6=30	$\boxed{-25}$	$(\boxed{-25})^2\times6=\boxed{3750}$
10 ~20	5	15	15×5=75	$\boxed{-15}$	$(\boxed{-15})^2\times5=\boxed{1125}$
20 ~30	10	25	25×10=250	$\boxed{-5}$	$(\boxed{-5})^2\times10=\boxed{250}$
30 ~40	6	35	35×6=210	5	$\boxed{5}^2\times6=\boxed{150}$
40 ~50	8	45	45×8=360	15	$\boxed{15}^2\times8=\boxed{1800}$
50 ~60	5	55	55×5=275	25	$\boxed{25}^2\times5=\boxed{3125}$
합계	40		$\boxed{1200}$	0	$\boxed{10200}$

위의 표에서 분산과 표준편차를 구하면

$(분산)=\dfrac{10200}{40}=\boxed{255}$

$(표준편차)=\boxed{\sqrt{255}}$ (mg)

어떤 교과서에나 나오는 문제   _pp. 72~73_

01 ①	02 185회	03 $\sqrt{2}$점	04 $\sqrt{4.4}$점	05 86
06 ①	07 ⑤	08 ④		

01 편차의 합은 0이므로

$-2+4+x-3+5=0$

$\therefore x=-4$

02 편차의 합은 0이므로

$3-10+7+x-5=0$

$\therefore x=5$

이때 평균이 180회이므로

(D가 줄넘기를 한 횟수)$-180=5$에서

(D가 줄넘기를 한 횟수)$=185(회)$

03 $(분산)=\dfrac{(-2)^2+1^2+2^2+0^2+1^2}{5}=\dfrac{10}{5}=2$

$\therefore (표준편차)=\sqrt{2}$점

04 $(분산)=\dfrac{\{(편차)^2\times(도수)\}의\ 총합}{(도수)의\ 총합}$ 이므로

$(분산)=\dfrac{1}{20}\{(-2)^2\times2+(-1)^2\times5+(-3)^2\times6$

$\qquad\qquad+1^2\times4+2^2\times2+3^2\times1\}$

$\qquad=\dfrac{88}{20}=4.4$

$\therefore (표준편차)=\sqrt{4.4}$ (점) $\left(또는\ \dfrac{\sqrt{110}}{5}점\right)$

05 $(분산)=\dfrac{(변량)^2의\ 총합}{(변량)의\ 개수}-(평균)^2$ 이므로

$(분산)=\dfrac{a^2+b^2+c^2+d^2}{4}-9^2=5$

$\therefore (a^2,\ b^2,\ c^2,\ d^2의\ 평균)=\dfrac{a^2+b^2+c^2+d^2}{4}=86$

[다른 풀이]

$(평균)=\dfrac{a+b+c+d}{4}=9$

$\therefore a+b+c+d=36$

$(분산)=\dfrac{(a-9)^2+(b-9)^2+(c-9)^2+(d-9)^2}{4}=5$

$a^2+b^2+c^2+d^2-18(a+b+c+d)+324=20$

$a^2+b^2+c^2+d^2=344$

$\therefore \dfrac{a^2+b^2+c^2+d^2}{4}=86$

06 편차의 합은 항상 0이므로 $-3-5+a+b+6=0$

$\therefore a+b=2$

$(분산)=4^2=16$이므로 $\dfrac{(-3)^2+(-5)^2+a^2+b^2+6^2}{5}=16$

$a^2+b^2+70=80$ $\therefore a^2+b^2=10$

이때 $(a+b)^2=a^2+2ab+b^2$이므로 $4=10+2ab$

$\therefore ab=-3$

07 5개의 변량의 평균이 5이므로

$\dfrac{1+3+x+4+y}{5}=5$, $x+y+8=25$ $\therefore y=17-x$

5개의 변량의 편차를 구하면

$-4,\ -2,\ x-5,\ -1,\ y-5=12-x$

5개의 변량의 분산이 9.2이므로

$\dfrac{(-4)^2+(-2)^2+(x-5)^2+(-1)^2+(12-x)^2}{5}=9.2$

$2x^2-34x+144=0$, $x^2-17x+72=0$

$(x-8)(x-9)=0$

$\therefore x=8$ 또는 $x=9$

따라서 $x=8$일 때 $y=9$이고, $x=9$일 때 $y=8$이다.

$\therefore xy=72$

08 ①, ② 평균이 같으므로 어느 과목이 더 우수하다고 할 수 없다.

③, ④, ⑤ $(2\sqrt{6})^2<5^2$이므로 국어 성적의 표준편차가 더 작다.

즉, 국어 성적이 영어 성적보다 더 고르다.

시험에 꼭 나오는 문제   _pp. 74~77_

01 ④	02 ③	03 62점	04 ②	05 $2\sqrt{3}$회
06 2시간	07 ①	08 ③	09 ②	10 4.8
11 ③	12 ②	13 평균: 10, 표준 편차: 5	14 $\sqrt{5}$점	

01 산포도는 대푯값을 중심으로 자료가 흩어져 있는 정도를 하나의

수로 나타낸 값으로 대표적인 예로는 분산과 표준편차 등이 있다.

④ 자료 전체의 특징을 하나의 수로 나타낸 값은 대푯값으로 대표적인 예로는 평균, 최빈값, 중앙값 등이 있다.

02 ③ 표준편차가 같더라도 평균은 다를 수 있다.

03 편차의 합은 항상 0이므로

$6-3-2+8+x-4=0$

$\therefore x=-5$

따라서 E의 성적은 $67+(-5)=62$(점)

04 $(평균)=\dfrac{5+3+7+9+6}{5}=\dfrac{30}{5}=6$(개)

각 변량의 편차는 $-1, -3, 1, 3, 0$이므로

$(분산)=\dfrac{(-1)^2+(-3)^2+1^2+3^2}{5}=\dfrac{20}{5}=4$

$\therefore (표준편차)=\sqrt{4}=2$(개)

05 $(평균)=\dfrac{67+73+75+69+76}{5}=\dfrac{360}{5}=72$(회)

$(분산)$

$=\dfrac{(67-72)^2+(73-72)^2+(75-72)^2+(69-72)^2+(76-72)^2}{5}$

$=\dfrac{60}{5}=12$

$\therefore (표준편차)=\sqrt{12}=2\sqrt{3}$(회)

06

계급(시간)	도수	계급값	(계급값)×(도수)	편차	(편차)²×(도수)
0~2	2	1	2	−4	32
2~4	5	3	15	−2	20
4~6	9	5	45	0	0
6~8	7	7	49	2	28
8~10	1	9	9	4	16
합계	24		120	0	96

$(평균)=\dfrac{120}{24}=5$(시간)

$(분산)=\dfrac{32+20+0+28+16}{24}=\dfrac{96}{24}=4$

$(표준편차)=\sqrt{4}=2$(시간)

07 $(평균)=\dfrac{6\times3+7\times4+8\times3}{10}=\dfrac{70}{10}=7$(점)

$\therefore (분산)=\dfrac{(-1)^2\times3+0^2\times4+1^2\times3}{10}=0.6$

08 $(평균)=\dfrac{65\times2+75\times6+85\times2}{10}=\dfrac{750}{10}=75$(점)

$(분산)=\dfrac{(-10)^2\times2+0^2\times6+10^2\times2}{10}=\dfrac{400}{10}=40$

$\therefore (표준편차)=\sqrt{40}=2\sqrt{10}$(점)

09 ㄱ. D의 편차가 0이므로 D의 점수는 평균과 같다.

ㄴ. 평균을 m이라고 하면

(A의 점수)$=m+2$, (B의 점수)$=m-1$

이므로 A, B의 점수 차는 3점이다.

ㄷ. $(표준편차)=\sqrt{\dfrac{2^2+(-1)^2+(-2)^2+0^2+1^2}{5}}$

$=\sqrt{\dfrac{10}{5}}=\sqrt{2}$(점)

ㄹ. 점수가 가장 높은 학생은 A, 점수가 가장 낮은 학생은 C이다.

따라서 옳은 것은 ㄱ, ㄷ이다.

10 히스토그램을 보고 표를 만들면 다음과 같다.

계급(시간)	계급값	도수	(계급값)×(도수)	편차	(편차)²×(도수)
2이상~4미만	3	1	3	−4	$(-4)^2\times1=16$
4~6	5	2	10	−2	$(-2)^2\times2=8$
6~8	7	4	28	0	$0^2\times4=0$
8~10	9	2	18	2	$2^2\times2=8$
10~12	11	1	11	4	$4^2\times1=16$
합계		10	70	0	48

$(평균)=\dfrac{70}{10}=7$(시간) $\therefore (분산)=\dfrac{48}{10}=4.8$

11 6개의 변량의 평균이 6이므로

$\dfrac{2+x+y+8+5+10}{6}=6$

$x+y+25=36$ $\therefore x+y=11$

각 변량의 편차는 $-4, x-6, y-6, 2, -1, 4$

이고 분산이 7이므로

$\dfrac{(-4)^2+(x-6)^2+(y-6)^2+2^2+(-1)^2+4^2}{6}=7$

$(x-6)^2+(y-6)^2+37=42$

$x^2+y^2-12(x+y)+67=0$

이때 $x+y=11$이므로 $x^2+y^2=12\times11-67=65$

12 ㄱ. (A반의 평균)

$=\dfrac{100\times3+90\times5+80\times6+70\times7+60\times3+50\times3+40\times4}{35}$

$=\dfrac{2450}{35}=70$(점)

(B반의 평균)

$=\dfrac{90\times5+80\times8+70\times10+60\times7+50\times4+40\times1}{35}$

$=\dfrac{2450}{35}=70$

따라서 A반과 B반의 평균은 같다.

ㄴ. 편차의 합은 항상 0이므로 A반과 B반의 편차의 합은 같다.

ㄷ. 구체적으로 표준편차를 구해서 계산해도 되지만, A반과 B반 중 평균 70점으로부터 떨어져 있는 정도가 B반이 더 적게 흩어져 있음을 알 수 있다.

따라서 A반보다 B반의 표준편차가 작다는 것을 추측할 수 있다.

(A반의 분산)

$$= \frac{(900 \times 3) + (400 \times 5) + (100 \times 6) + (0 \times 7) + (100 \times 7) + (400 \times 3) + (900 \times 4)}{35}$$

$$= \frac{10800}{35} = \frac{2160}{7}$$

(B반의 분산)

$$= \frac{(900 \times 0) + (400 \times 5) + (100 \times 8) + (0 \times 10) + (100 \times 7) + (400 \times 4) + (900 \times 1)}{35}$$

$$= \frac{6000}{35} = \frac{1200}{7}$$

따라서 옳은 것은 ㄱ, ㄴ이다.

13 $(a, b, c, d$의 평균$) = \dfrac{a+b+c+d}{4} = 8$

$\therefore a+b+c+d = 32$

$(a, b, c, d$의 분산$)$

$= \dfrac{(a-8)^2 + (b-8)^2 + (c-8)^2 + (d-8)^2}{4} = 25$

$\therefore (a-8)^2 + (b-8)^2 + (c-8)^2 + (d-8)^2 = 100$

$(구하는 평균) = \dfrac{a+b+c+d+8}{4} = 10$

$(구하는 분산)$

$= \dfrac{(a+2-10)^2 + (b+2-10)^2 + (c+2-10)^2 + (d+2-10)^2}{4}$

$= \dfrac{(a-8)^2 + (b-8)^2 + (c-8)^2 + (d-8)^2}{4}$

$= \dfrac{100}{4} = 25$

$\therefore (구하는 표준편차) = 5$

14 A반의 $(편차)^2$의 총합은 $2^2 \times 20 = 80$

B반의 $(편차)^2$의 총합은 $(\sqrt{7})^2 \times 10 = 70$

따라서 전체 30명의 $(편차)^2$의 총합은 $80 + 70 = 150$이므로

전체 30명의 분산은 $\dfrac{150}{30} = 5$

$\therefore (표준편차) = \sqrt{5}$점

9 산점도와 상관관계
본문 pp. 78~84

 기본 체크

01 ④, ⑤   **02** ①, ③   **03** ②

01 (1)
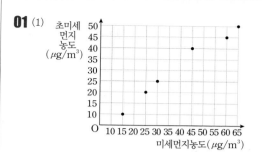

(2) 미세먼지 농도가 $35\mu g/m^3$이상인 달은 [1]월, [2]월, [3]월이다.

(3) 미세먼지 농도가 $35\mu g/m^3$이상인 달은 전체 [6]달 가운데 [3]달이므로 $\dfrac{3}{6} \times 100 = [50]$ (%)

(4) 초미세먼지 농도가 $40\mu g/m^3$ 미만인 달은 [4]월, [5]월, [6]월이므로 $\dfrac{3}{6} \times 100 = [50]$ (%)

(5) 미세먼지 농도와 초미세먼지 사이에는 대체로 [(양)/ 음]의 상관관계가 있다.

02 (1) 중간고사 점수와 기말고사 점수가 같은 학생은 모두 [7]명이므로 $\dfrac{7}{20} \times 100 = [35]$ (%)

(2) 중간고사 점수가 더 높은 학생은 모두 [6]명이므로 $\dfrac{6}{20} \times 100 = [30]$ (%)

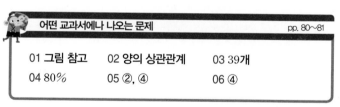 어떤 교과서에나 나오는 문제   pp. 80~81

01 그림 참고   02 양의 상관관계   03 39개
04 80%   05 ②, ④   06 ④

01
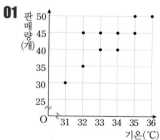

02 기온과 막대 아이스크림의 판매량 사이에는 대체로 양의 상관관계가 있다.

03 $(평균)=\dfrac{30+45+45+40+35}{5}=\dfrac{195}{5}=39(개)$

04 전체 10일 동안 아이스크림을 40개 이상 50개 이하로 판 날은 8

일이므로 $\dfrac{8}{10}\times100=80(\%)$

05

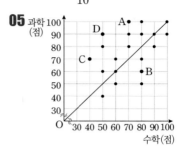

① C 학생의 수학 점수와 과학 점수는 각각 40점, 70점이다.

③ A의 좌표는 $(70,100)$, D의 좌표는 $(50,90)$으로 A의

수학 점수가 D보다 높다.

④ $y<x$인 부분의 학생의 수는 7명이므로

$\dfrac{7}{20}\times100=35(\%)$

⑤ $\dfrac{50+(70\times2)+(80\times2)+90+(100\times2)}{8}=\dfrac{640}{8}$

$=80(점)$

06

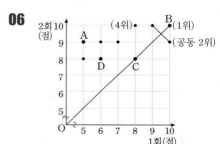

① $\dfrac{(5\times2)+(6\times2)+7+(8\times2)+9+(10\times2)}{10}=\dfrac{74}{10}$

$=7.4(점)$

② D$(6,8)$이므로 D의 1회 점수는 6점

2회 평균 점수는

$\dfrac{(8\times3)+(9\times4)+(10\times3)}{10}=\dfrac{90}{10}=9(점)$

③ A$(5,9)\rightarrow\dfrac{5+9}{2}=7$

C$(8,8)\rightarrow\dfrac{8+8}{2}=8$

④ 4위 : $(8,10)\rightarrow\dfrac{8+10}{2}=9(점)$

⑤ $x>y$인 부분에 속하는 선수는 1명이므로 전체의 10%

시험에 꼭 나오는 문제   pp. 82~84

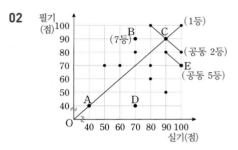

01 ④   **02** ①, ⑤   **03** ②, ⑤   **04** ④   **05** 25%

06 $\dfrac{760}{9}$(점)   **07** ②, ⑤   **08** ②, ③

01 ④ B는 C보다 x축에서 0에 더 가깝다.

02

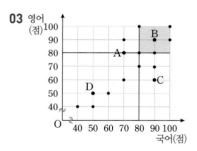

① (실기 점수의 평균)

$=\dfrac{40+50+60+(70\times3)+(80\times3)+(90\times3)+(100\times3)}{15}$

$=\dfrac{1170}{15}=78(점)$

② $y<x$인 부분의 학생 수는 7명, $y>x$인 부분의 학생 수는 5명

이므로 실기 점수가 높은 학생 수가 더 많다.

③ $(90,50)$의 필기 점수가 가장 낮다.

E$(100,70)$

④ B$(70,90)$, C$(90,90)$

B와 C의 필기 점수는 같다.

⑤ 1등 : $(100,100)$

공동 2등 : $(80,100)$, $(90,90)$, $(100,80)$

공동 5등 : $(90,80)$, $(100,70)$

7등 : $(70,90)\rightarrow\dfrac{70+90}{2}=80(점)$

03 영어

① 두 과목 모두 80점 이상인 학생의 수는 6명이므로

$\dfrac{6}{16}\times100=\dfrac{75}{2}=37.5(\%)$

② $\dfrac{40+(50\times2)+60+70+90}{6}=\dfrac{360}{6}=60(점)$

③ C의 평균 : $\dfrac{90+60}{2}=75(점)$

A의 평균 : $\dfrac{70+80}{2}=75(점)$

⑤ 두 과목의 합이 170점 이상인 좌표는

$(90,80)$, $(80,100)$, $(90,90)$, $(100,90)$,

$(100, 100)$이므로

$$\frac{90+80+90+100+100}{5}=\frac{460}{5}=92(점)$$

04 ④ E가 B보다 y축에서 0에 더 가깝다. 그러므로 B의 앉은 키가 E의 앉은 키보다 크다.

05
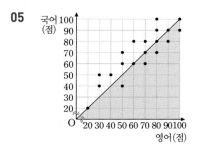

색칠된 부분이 국어<영어이므로 20명 가운데 5명의 국어 성적 보다 영어 성적이 높다.

$$\therefore \frac{5}{20}\times100=25(\%)$$

06
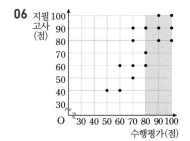

$x\geq80$인 부분이 수행 평가 점수가 80점 이상이므로
$(80, 60), (80, 70), (80, 90), (90, 80), (90, 90),$
$(90, 100), (100, 80), (100, 90), 100, 100)$의 y값의 평균을 구한다.

$$\therefore \frac{760}{9}(점)$$

07 ① 양의 상관관계가 있다.
③ A가 C보다 더 많은 책을 읽었다.
④ E가 D보다 국어 점수가 높다.

08
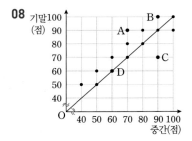

① $\dfrac{40+(50\times2)+(60\times2)+(70\times3)+(80\times2)+(90\times3)+(100\times2)}{15}$

$=\dfrac{1100}{15}≒73(점)$

③ (기말고사 수학 점수의 평균)$=\dfrac{1150}{15}≒76(점)$

④ $y>x$인 부분의 점의 개수는 7개

⑤ $y=x$의 그래프와 일치하는 점의 개수는 6개이므로

$$\frac{6}{15}\times100=40(\%)$$

단원종합문제
본문 pp. 85~88

01 ⑤	02 ③	03 ④	04 ③	05 ①
06 ②, ④	07 ⑤	08 ⑤	09 ③	10 ②
11 ①, ④	12 ④	13 ③	14 ③	15 ④
16 ②	17 ③	18 ④	19 $x=2, y=3$	
20 ③, ④	21 14.8	22 55점	23 평균: 21, 분산: 8	
24 B				

01 양의 상관관계를 보이는 산점도는 ②와 ⑤이다.
둘 중 더 강한 양의 상관관계를 보이는 것은 ⑤이다.

02 0이 가장 많이 나오므로 최빈값은 0권이다.
작은 값에서부터 크기순으로 8번째인 수는 10, 9번째인 수는 13이므로 중앙값은

$$\frac{10+13}{2}=11.5(권)$$

자료의 합은 216권이므로 평균은

$$\frac{216}{16}=13.5(권)$$

03 6개의 수 7, 8, 3, 5, 9, 5를 크기순으로 나열하면
3, 5, 5, 7, 8, 9
나머지 세 수를 p, q, r라고 하면
중앙값은 9개의 수를 크기순으로 배열했을 때, 5번째에 오는 수이므로 중앙값이 가능한 한 커지려면
$(3, 5, 5, 7, p, q, r, 8, 9)$
$(3, 5, 5, 7, 8, p, q, r, 9)$
$(3, 5, 5, 7, 8, 9, p, q, r)$
등의 경우를 생각해 볼 수 있다.
따라서 중앙값이 될 수 있는 가장 큰 수는 8이다.

04 최빈값이 11이고 7이 2개이므로 a, b, c 중 적어도 두 수는 11이어야 한다.
$a=11, b=11$이라 하고 c를 제외한 7개의 변량을 크기순으로 나열하면 6, 7, 7, 11, 11, 11, 15이다.
중앙값이 10이므로 $7<c<11$이어야 하고

$$\frac{c+11}{2}=10 \quad \therefore c=9$$

$$\therefore a+b+c=31$$

05 자료를 크기순으로 나열하면

26, 27, 30, 30, 33, 37, 37, 37, 40, 45

이므로 중앙값은 5번째의 값인 33회와 6번째 값인 37회의 평균

인 $\dfrac{33+37}{2}=35$(회)

$\therefore a=35$

또한, 최빈값은 가장 많이 나타나는 값인 37회이다.

$\therefore b=37$

$\therefore a+b=35+37=72$

06 ② 분산은 편차의 제곱의 평균이다.

④ 최빈값은 존재하지 않을 수도 있다.

07 누락된 2명의 성적의 평균은

$\dfrac{60+90}{2}=75$(점)

이므로 전체 평균은 70점보다 높다.

또한, 2명의 성적은 2명을 누락한 중앙값 65점보다 낮은 점수가 한 개, 높은 점수가 한 개이므로 전체 중앙값은 변함없이 65점이다.

08 점수의 평균을 구하면

$\dfrac{17+14+19+15+13+12}{6}=\dfrac{90}{6}=15$(점)

각 변량의 편차를 구하면

$17-15=2$, $14-15=-1$, $19-15=4$,

$15-15=0$, $13-15=-2$, $12-15=-3$

따라서 변량들의 편차가 될 수 없는 것은 ⑤이다.

09 (평균)$=\dfrac{15\times1+16\times2+17\times4+18\times2+19\times1}{10}=\dfrac{170}{10}$

$=17$

(분산)$=\dfrac{(-2)^2\times1+(-1)^2\times2+1^2\times2+2^2\times1}{6}=\dfrac{12}{10}$

$=1.2$

10 모든 편차의 합은 0이므로

$-3-1+2+a-2=0$

$\therefore a=4$

11 두 모둠 A, B의 평균은 모두 7점이고, 표준편차는 각각 $\sqrt{1.2}$ 점, 2점이다.

(편차)

A	1	0	-1	-2	0	1	0	0	2	-3
B	-3	1	0	-3	-2	0	0	3	2	2

(A의 분산)

$=\dfrac{1+0+1+4+0+1+0+0+4+9}{10}$

$=\dfrac{20}{10}=2$

(A의 표준편차)$=\sqrt{2}$

(B의 분산)

$=\dfrac{9+1+0+9+4+0+0+9+4+4}{10}$

$=\dfrac{40}{10}=4$

(B의 표준편차)$=2$

② 두 모둠의 성적의 표준편차는 다르다.

③ B 모둠의 성적이 A 모둠의 성적보다 평균을 중심으로 흩어져 있는 정도가 크다.

⑤ A 모둠의 분산이 B 모둠의 분산보다 작다.

12

계급(점)	계급값	도수	(계급값)×(도수)	편차	(편차)²×(도수)
65^{이상}~75^{미만}	70	2	140	-10	$(-10)^2\times2=200$
75 ~85	80	6	480	0	$0^2\times6=0$
85 ~95	90	2	180	10	$10^2\times2=200$
합계		10	800	0	400

(평균)$=\dfrac{800}{10}=80$(점)

(분산)$=\dfrac{400}{10}=40$

$\therefore$ (표준편차)$=\sqrt{40}=2\sqrt{10}$(점)

13 ㄱ. (편차)$=$(변량)$-$(평균)이므로 편차가 0이면 변량과 평균이 같다.

ㄴ. 평균을 M이라 하면 A$=M-3$, B$=M+3$이다.

그러므로 A와 B의 점수 차는 6이다.

ㄷ. (분산)$=\dfrac{(-3)^2+3^2+(-2)^2+0^2+2^2}{5}$

$=\dfrac{9+9+4+0+4}{5}=\dfrac{26}{5}=5.2$

(표준편차)$=\sqrt{5.2}$

따라서 옳은 것은 ㄱ, ㄷ이다.

14 조건 (가)에서

$\dfrac{5+9+x}{3}=\dfrac{6+7+9+x}{4}$

$4(14+x)=3(22+x)$

$56+4x=66+3x$

$\therefore x=10$

조건 (나)에서

$$\frac{3+5+7+11+y}{5}=\frac{3+7+y}{3}$$

$$3(26+y)=5(10+y)$$

$$78+3y=50+5y$$

$$\therefore y=14$$

따라서 x, y의 평균은 $\dfrac{10+14}{2}=12$

15 ① 편차의 합은 0이므로

$$-3+1+0+x+4 \quad \therefore x=-2$$

② 몸무게가 가장 많이 나가는 학생은 E이고 가장 적게 나가는 학생은 A이다.

③ 몸무게가 평균보다 적은 학생은 A와 D의 2명이다.

④ 주어진 자료로 평균은 알 수 없다.

⑤ 분산은 편차의 제곱의 평균이므로

$$\frac{(-3)^2+1^2+0^2+(-2)^2+4^2}{5}=\frac{30}{5}=6$$

16 자료 A의 변량을 x_1, x_2, $\cdots$, x_{10}이라 하고,

자료 B의 변량을 y_1, y_2, $\cdots$, y_{10}이라 하자.

두 자료 모두 평균이 50이므로 A, B를 섞은 자료의 평균도 50이 된다.

자료 A의 분산이 4이므로

$$\frac{(x_1-50)^2+(x_2-50)^2+\cdots+(x_{10}-50)^2}{10}=4에서$$

$$(x_1-50)^2+(x_2-50)^2+\cdots+(x_{10}-50)^2=40$$

자료 B의 분산이 9이므로

$$\frac{(y_1-50)^2+(y_2-50)^2+\cdots+(y_{10}-50)^2}{10}=9에서$$

$$(y_1-50)^2+(y_2-50)^2+\cdots+(y_{10}-50)^2=90$$

두 자료 A, B를 섞은 자료의 평균이 50이므로 분산을 구하면

$$\frac{(x_1-50)^2+(x_2-50)^2+\cdots+(x_{10}-50)^2}{20}$$

$$+\frac{(y_1-50)^2+(y_2-50)^2+\cdots+(y_{10}-50)^2}{20}$$

$$=\frac{40+90}{20}=\frac{130}{20}=6.5$$

17 편차의 합은 0이므로

$$4+(-3)+x+(-1)=0 \quad \therefore x=0$$

즉, C 학생의 성적은 평균과 같다.

① 자료의 값이 클수록 편차도 크다.

따라서 A 학생의 성적이 가장 높다.

② 작은 값에서부터 크기순으로 나열하면 B, D, C, A이다.

C 학생의 편차는 0점, D 학생의 편차는 -1점이므로 두 학생의 점수는 같지 않다.

중앙값은 C 학생과 D 학생의 성적의 평균이므로 C 학생의 성적과 같지 않다.

③ B 학생은 평균보다 3점 낮은 점수를 받았고, D 학생은 평균보다 1점 낮은 점수를 받았으므로 B 학생과 D 학생의 점수의 차는 2점이다.

④ (분산)$=\dfrac{4^2+(-3)^2+0^2+(-1)^2}{4}=\dfrac{26}{4}=6.5$

⑤ 각각의 자료가 같은 값만큼씩 커지거나 작아져도 편차에는 변함이 없으므로 편차만으로 평균을 구할 수는 없다.

따라서 옳은 것은 ③이다.

18 주어진 자료의 평균이 10, 표준편차가 2이므로

$$(평균)=\frac{x_1+x_2+\cdots+x_{10}}{10}=10$$

$$\therefore x_1+x_2+\cdots+x_{10}=100$$

$$(분산)=\frac{(x_1-10)^2+(x_2-10)^2+\cdots+(x_{10}-10)^2}{10}$$

$$=\frac{x_1^2+x_2^2+\cdots+x_{10}^2-20(x_1+x_2+\cdots+x_{10})+10^2\times10}{10}$$

$$=2^2$$

$$\therefore x_1^2+x_2^2+\cdots+x_{10}^2=1040$$

19 5개 변량의 평균이 6이므로

$$\frac{9+5+11+x+y}{5}=6에서 \ x+y=5$$

$$\therefore y=5-x$$

편차는 각각 3, -1, 5, $x-6$, $y-6$이고

$y=5-x$이므로 편차는 각각

$$3, -1, 5, x-6, -x-1$$

5개 변량의 분산이 12이므로

$$\frac{3^2+(-1)^2+5^2+(x-6)^2+(-x-1)^2}{5}=12에서$$

$$(x-6)^2+(x+1)^2=25$$

$$2x^2-10x+12=0, \ x^2-5x+6=0$$

$$(x-2)(x-3)=0$$

$$\therefore x=2 \ 또는 \ x=3$$

즉, $x=2$일 때 $y=3$, $x=3$일 때 $y=2$

이때 $x<y$이므로 $x=2$, $y=3$

20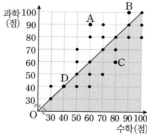

③ $x>y$인 부분의 점의 개수가 9개이므로 $\dfrac{9}{25}\times100=36(\%)$

21 재희의 점수를 x점이라고 하면

학생 5명 각각의 점수는 차례대로

$$x-8, x-5, x, x+1, x+2$$

이므로 평균은

$$\frac{(x-8)+(x-5)+x+(x+1)+(x+2)}{5}$$

$$=\frac{5x-10}{5}=x-2\,(점)$$

따라서 평균은 재희의 점수보다 2점이 낮다.

즉, 학생 5명의 점수는 각각

$$x-8,\ x-5,\ x,\ x+1,\ x+2$$

이고, 평균이 $(x-2)$점이므로 각각의 편차는 다음과 같다.

$$-6,\ -3,\ 2,\ 3,\ 4$$

$$\therefore\ (분산)=\frac{(-6)^2+(-3)^2+2^2+3^2+4^2}{5}=\frac{74}{5}=14.8$$

22 4회까지의 최빈값이 40점이므로 $x=40$

5회째의 점수를 a라 하면 평균이 42점이 되므로

$$\frac{40+45+30+40+a}{5}=42에서\ 155+a=210$$

$$\therefore\ a=55\,(점)$$

23 $x_1,\ x_2,\ x_3$의 평균이 10이고 분산이 2이므로

$$(평균)=\frac{x_1+x_2+x_3}{3}=10$$

$$(분산)=\frac{(x_1-10)^2+(x_2-10)^2+(x_3-10)^2}{3}=2$$

따라서 $2x_1+1,\ 2x_2+1,\ 2x_3+1$의 평균은

$$\frac{(2x_1+1)+(2x_2+1)+(2x_3+1)}{3}$$

$$=\frac{2(x_1+x_2+x_3)+3}{3}$$

$$=2\times\frac{x_1+x_2+x_3}{3}+1$$

$$=2\times10+1=21$$

$2x_1+1,\ 2x_2+1,\ 2x_3+1$의 분산은

$$\frac{\{(2x_1+1)-21\}^2+\{(2x_2+1)-21\}^2+\{(2x_3+1)-21\}^2}{3}$$

$$=\frac{(2x_1-20)^2+(2x_2-20)^2+(2x_3-20)^2}{3}$$

$$=\frac{2^2\{(x_1-10)^2+(x_2-10)^2+(x_3-10)^2\}}{3}$$

$$=2^2\times\frac{(x_1-10)^2+(x_2-10)^2+(x_3-10)^2}{3}$$

$$=2^2\times2=8$$

24

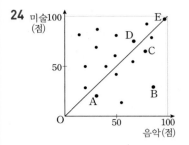

A, B, C, D, E 중에 점 B가 대각선$(y=x)$으로부터 가장 멀리 있으므로 음악 성적과 미술 성적의 점수 차이가 가장 큰 학생은 B이다.

교과서
노트

중학 수학 **3** (하)